De la tendresse

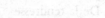

# Robert Cormier

# De la tendresse

Traduit de l'américain
par Frédérique Pressmann

Médium
11, rue de Sèvres, Paris 6e

© 1999, l'école des loisirs, Paris pour l'édition en langue française
© 1997, Robert Cormier
Titre original : « Tenderness » (Delacorte Press, New York)
Loi n° 49.956 du 16 juillet 1949 sur les publications
destinées à la jeunesse : janvier 1999
Dépôt légal : janvier 1999
Imprimé en France par la Société Nouvelle Firmin-Didot,
au Mesnil-sur-l'Estrée (45205)

*En souvenir des professeurs
qui ont modifié le cours de ma vie :*

*Sœur Catherine
E. Lilian Ricker
Florence D. Conlon*

Connaître la douleur d'une trop grande tendresse.
KHALIL GIBRAN


La partie d'un corps qui a été blessée
reste souvent tendre au toucher.

# Première partie

Moi, je bloque sur des trucs et après je peux plus m'arrêter d'y penser. Des fois, c'est agréable et je me laisse aller pour voir ce qui va se passer. Comme avec Throb. Des fois, c'est pas agréable, mais je suis quand même obligée de continuer et d'aller jusqu'au bout. C'est ça qui fout les jetons, quand c'est plus du tout agréable. Mais même quand c'est agréable, d'ailleurs, ça fout les jetons. Un truc qui domine complètement votre vie, ça fout toujours les jetons, même si ça peut vous donner du plaisir.

Avec Throb, au début, c'était agréable, sa musique, sa voix sur les CD et, bien sûr, ses paroles et sa façon de chanter, sa voix rauque, comme s'il avait des cailloux dans la gorge. Ses paroles qui m'excitent :

> *Arrache mon cœur*
> *De ma chair*
> *Et mange-le...*

C'est de la musique sombre, comme j'appelle ça. De la musique qui me fait quelque chose. Sombre et noire, venue du fond de la nuit :

*Crie mon nom*
*De la tombe*
*Où ton amour pourrit*

J'ai dû écouter longtemps pour comprendre les paroles, en fermant les yeux et en appuyant bien le casque sur mes oreilles; au début, je croyais qu'il disait «de ton amour pourri» au lieu de «où ton amour pourrit», ce qui est très différent.

J'aimais bien passer du temps à la bibliothèque, assise à côté du lecteur de CD avec le casque sur la tête et les gens qui allaient et venaient autour de moi, comme si j'étais sur une île déserte au milieu de toute cette activité. Je fermais les yeux et j'écoutais sa voix qui remplissait mes oreilles et l'intérieur de ma tête:

*Un trou dans ma bouche*
*Qui va avec celui que j'ai dans le cœur*
*Où hurle ton amour*

C'est quand j'ai vu le trou qu'il a pour de bon dans la bouche que j'ai bloqué sur Throb; c'était un soir à la télé, il avait cette dent en moins, des cheveux hérissés couleur rose saumon, des taches de rousseur et une horrible tenue de clown – pantalon trop grand, bretelles vertes en tissu écossais et pas de chemise, on aurait dit que ses tétons étaient des pièces de monnaie collées sur sa poitrine. Mais surtout, il y avait cette dent en moins, comme un trou noir dans sa bouche. Et c'est là que j'ai bloqué, en regardant ce trou noir, et j'ai compris qu'il fallait que je colle ma bouche sur la sienne et que je glisse ma langue dans ce trou.

J'ai piqué le CD chez Aud-Vid Land, la boutique de

disques du centre commercial, même si le lecteur de CD à la maison est cassé, comme tout le reste d'ailleurs. Je l'ai pas vraiment piqué, ce qui serait pas possible vu que tout est beepé, mais je l'ai pas payé non plus. Il y a un mec, l'assistant du responsable, il doit avoir dans les quarante ans, qui m'ouvre la porte de la réserve et je me glisse à l'intérieur pour l'attendre. Il aime bien me regarder. Je ferme les yeux. Il me dit de me mettre comme ci, comme ça. Je l'entends respirer. À la fin, il dit: «C'est bon» et j'ouvre les yeux mais j'évite de le regarder. Il a une peau horrible et des chaussettes jaune vif.

Une fois à la maison, j'ouvre le CD et j'étudie le visage de Throb, étalé sur tout le livret qui se déplie comme un accordéon. Je le scotche au mur, à la place de la photo de ma mère et moi devant le monument Lincoln à Washington D.C. Lincoln est mon président préféré. J'ai de la peine pour lui parce qu'il a toujours l'air très déprimé et aussi parce que sa tête est sur le penny, la pièce la plus minable de toutes.

Gary m'observe depuis l'entrée.

– Ça va faire de la peine à ta mère, Lori, que t'enlèves cette photo.

– Je la mettrai ailleurs, je lui dis, en reculant pour voir Throb accroché sur mon mur, avec son trou dans la bouche.

Gary ressemble pas à la plupart des types que ma mère ramène à la maison. Ça fait environ six mois qu'il est avec nous. Il dit pas de gros mots et il travaille, il fait les trois-huit en usine. Des fois, il boit trop, alors il s'endort n'importe où, ce qui change de Dexter qui devenait désagréable et méchant quand il avait trop bu et qui tapait ma mère une fois de temps en temps.

Gary me regarde en train de regarder Throb. Je sens qu'il me regarde, c'est un truc qu'il fait ces temps-ci. Il se frotte aussi contre moi quand il me croise dans le couloir pour aller aux toilettes. J'aime bien qu'il me regarde comme ça mais je veux pas faire de la peine à ma mère, même si des fois elle est chiante. Elle a assez de problèmes comme ça. Elle a toujours été super-belle mais, ces derniers temps, je la vois se faner sous mes yeux. Je vois des sillons sur sa figure, là où son fond de teint fait des pâtés, et les collyres n'arrivent plus à effacer la rougeur de ses yeux. Elle commence à s'affaisser, aussi. Un soir, je l'ai aperçue quand elle sortait de la douche et j'ai été surprise de voir qu'elle a les seins qui tombent. Elle a toujours été fière de sa silhouette et elle dit que c'est ce qu'elle m'a donné de mieux, une belle silhouette, même si on a toutes les deux tendance à prendre du poids et si, des fois, ça me gêne d'avoir des seins aussi gros.

Gary vient se mettre derrière moi, face à la photo. On est seuls tous les deux, ma mère est au travail, elle fait le service du déjeuner chez Timson. Il fait chaud, c'est le début du mois de juin et on dirait que la chaleur lui sort par tous les pores, son bras s'appuie contre le mien et on dirait que la transpiration nous colle l'un à l'autre. Je l'entends qui reprend sa respiration, ou peut-être c'est moi. Tout d'un coup, il passe son bras autour de moi et il me caresse les seins et je m'appuie contre lui. Son after-shave épicé me pique le nez et ses mains sont douces et me font du bien et j'ai envie qu'il continue mais je me dégage en pensant à ma mère.

Il retire sa main et dit: «Ex-cu-cuse-moi» en bégayant un peu et moi je dis rien, je me sens déprimée. Déprimée parce que je sais que si Gary reste – et ma mère veut qu'il reste, pour toujours peut-être – alors je vais devoir partir. Encore.

Le lendemain, je lis dans le journal que Throb passe ce week-end à Wickburg, la ville où on habitait avant, et je bloque un peu plus. Wickburg est aussi dans le Massachusetts, à cent cinquante kilomètres environ de cet horrible patelin où on habite depuis un an et demi, et je suis persuadée que c'est là que je dois aller pour rencontrer mon destin et placer ma langue dans le trou noir de la bouche de Throb, en laissant Gary et ma mère vivre heureux jusqu'à la fin de leurs jours.

«Vivre heureux jusqu'à la fin de leurs jours»: on dirait un truc de conte de fées mais ma mère, elle croit aux contes de fées, aux histoires qui se terminent bien et aux arcs-en-ciel. Elle pense toujours que demain sera un autre jour et n'écoute que les bons bulletins météo, jamais les mauvais. Elle me rend folle, des fois, quand elle répète ses trucs, du genre «Il faut faire contre mauvaise fortune bon cœur» ou «Quand on atteind le fond on ne peut que remonter». Une fois, tôt le matin, la pluie tapait au carreau, ma mère était assise à la table de la cuisine et elle appuyait un sac de glace sur un coquard que Dexter venait de lui mettre. Elle a levé les yeux du journal posé sur la table et m'a dit d'un air guilleret:

– Écoute ça, Lori, mon horoscope: «Beaucoup de bonheur, continuez sur la lancée, vos talents seront reconnus.» C'est pas génial?

Le sac de glaçons a glissé et j'ai vu le coup, violet, affreux, près de l'œil.

15

– Qu'est-ce qu'il y a? elle m'a demandé. On dirait que tu vas te mettre à pleurer.

– Je crois que je couve une grippe, j'ai répondu.

Mais je couvais rien du tout.

Ma mère est serveuse. Serveuse professionnelle et fière de l'être. Elle arrive toujours à l'heure, même quand elle a la gueule de bois. Elle sait tenir son plateau au-dessus de l'épaule. Elle sait quand le client veut l'addition, si la soupe est assez chaude ou si le steak est à point et pas saignant comme on lui avait demandé.

Elle n'a pas de chance avec les hommes. Elle tombe toujours sur les mauvais, sauf dans un ou deux cas, comme Gary par exemple, ou mon père, qui était bon et doux, paraît-il, mais qui n'avait pas un gramme de chance et qui s'est fait écraser par une voiture, un soir de pluie, quand j'avais deux ans. Je m'en souviens pas du tout. J'ai jamais vu une photo de lui, même pas une photo de mariage. «On a fait ça à toute vitesse», dit ma mère. Comme tout ce qu'elle fait, d'ailleurs.

À toute vitesse. Ça pourrait être l'histoire de ma mère, et la mienne. Toujours à bouger d'un endroit à l'autre. À chercher un meilleur boulot ou à suivre quelqu'un qu'elle a rencontré, qui lui a fait des promesses qu'il ne tiendra jamais. Comme Dexter Campbell, par exemple, qu'elle a suivi de Wickburg à Portsmouth, dans le New Hampshire, où il l'a plaquée quand elle était à l'hôpital. Elle était allée aux urgences parce qu'il l'avait tabassée. J'avais attendu avec elle, tandis que la bosse sur son front devenait littéralement un œuf. Elle avait raconté au docteur qu'elle s'était cognée dans une porte en se levant la nuit pour aller aux toilettes.

— Et ça? avait demandé le docteur en montrant le bleu sur son bras.

— Je marque facilement. J'ai la peau sensible.

Le docteur m'avait regardée et j'avais détourné les yeux.

— Et toi, ça va? il avait demandé en posant doucement sa main sur mon épaule.

J'avais fait oui de la tête. Dexter ne m'a jamais touchée. Ma mère, oui, il la touchait tout le temps, il la pelotait partout et la déshabillait à moitié devant moi, et lui avec, tandis que ma mère murmurait: «Pas ici, pas devant la gosse.» Mais il continuait quand même.

De toute façon, quand on est rentrées à la maison cette fois-là, Dexter était parti. «Le salaud, il a eu peur que je le dénonce», a dit ma mère. L'appartement était à son nom, le loyer du mois suivant était payé, mais on est parties quand même. On a attrapé un bus pour Manchester où ma mère connaissait quelqu'un qui tenait un *diner* ouvert vingt-quatre heures sur vingt-quatre et qui lui donnerait peut-être du travail. Et de Manchester, on est venues ici, et comme d'habitude ma mère s'est répandue en excuses de me faire autant bouger et changer d'école tout le temps.

— Heureusement que tu es intelligente, elle dit tout le temps. Plus intelligente que ton idiote de mère.

— Tu n'es pas idiote, je lui réponds. Tu es une très bonne serveuse. Tu ne te fais jamais virer. C'est toujours toi qui pars...

— Je me fais du souci pour toi.

Ça aussi, ma mère le répète tout le temps. La semaine dernière, elle a ajouté:

— Regarde-moi ça, tu as déjà quinze ans. J'arrive pas à y croire.

En fait, ce qu'elle arrive pas à croire, c'est qu'elle a trente-six ans.

— Je pense toujours à moi en premier. Je ne suis pas une très bonne mère, Lori.

— Tu es une très bonne mère.

Ça me coûte rien de dire ça et elle se sent mieux après.

— Je me demande ce qu'il va t'arriver dans ce monde cruel qui nous entoure.

Son optimisme l'abandonne parfois, quand il n'y a plus rien à boire à la maison et plus d'argent pour aller en acheter.

Bien sûr, elle ne sait pas ce qui m'est déjà arrivé. Elle croit que je suis encore vierge, et c'est vrai que je le suis, sans doute. D'un point de vue technique, je veux dire. J'ai fait pas mal de trucs avec des garçons au fond des salles des cinémas I et II du centre commercial, et à l'arrière des voitures et avec d'autres encore, comme le type des CD, mais je suis jamais allée jusqu'au bout.

Depuis quelque temps, j'essaie de comprendre ce que c'est que l'amour, et la différence entre le sexe et l'amour et cet autre truc qu'on appelle désir. Je crois qu'un de mes profs était amoureux de moi mais il m'a jamais touchée. M. Sinclair. Il disait que j'avais une belle âme, que j'étais douée pour écrire et que je devrais tenir un journal, et la façon qu'il avait de me regarder me faisait trembler sur mes jambes, toute cette envie dans ses yeux et peut-être un peu de tristesse aussi. Je traînais souvent devant sa salle de classe après les cours. Un jour, il m'a trouvée là en sortant et on a failli se rentrer dedans. Il m'a fait un grand sourire mais tout de suite il a reculé et son sourire s'est effacé comme on efface un dessin sur le tableau et il a pris un air inquiet en jetant des coups d'œil de tous les côtés.

– Bonjour, monsieur Sinclair, j'ai dit, tellement heureuse de me retrouver seule avec lui dans le couloir que mon cœur dansait.

Il n'est pas beau, ses yeux sont enfoncés dans leurs orbites, ses cheveux toujours ébouriffés et il a des grosses rides sur les joues. Je me demande s'il dort assez.

Il a rougi et toussé, en cognant sa mallette contre sa hanche et en bégayant quelque chose que je n'ai pas compris. Mais j'ai vu l'envie dans ses yeux et la souffrance, aussi. «Oh, Lorelei», il a dit, en prononçant ce nom que je déteste. (On m'a appelée comme ça en souvenir de la tante préférée de ma mère, mais heureusement que j'ai un surnom!)

Je voulais prendre sa main et la poser sur moi et lui dire de ne pas avoir peur, mais au lieu de ça on s'est regardés et il s'est détourné en continuant à me regarder par-dessus son épaule, avec tellement de tristesse dans les yeux, et il me regardait encore quand il a disparu dans le couloir, emportant avec lui toutes mes envies et les siennes aussi, peut-être.

Et je me suis demandé ce qu'étaient ces envies.

Je pense que ce que je voudrais le plus au monde, c'est quelqu'un qui soit tendre avec moi. Un jour, M. Sinclair nous a demandé de faire la liste des dix plus beaux mots qu'on connaissait et le seul qui me paraissait vraiment beau, à moi, c'était le mot «tendresse».

Je suis partie. Avec mon sac à dos, mes Reebok et mon short en jean. C'est un beau matin de juin, le long de la route tout est vert. Le bus qui fait Hookset-Garville m'a laissée près de la Route 2 et je suis au bord du fossé, prête à faire du stop pour Wickburg. Je suis allée partout en stop. Les fois où ma mère m'énerve, je me tire et je pars en auto-stop quelque part. C'est comme jouer au loto. Je rêve toujours qu'un type super-beau s'arrête et me dit qu'il va en Californie en passant par les Rocheuses et je dis : allons-y, et il est doux et tendre, et on traverse les États-Unis, les petits villages et les grandes villes. Mais ça ne se passe jamais comme ça.

Il y a un trou entre les voitures, la route est vide, le monde entier a l'air vide et j'ai envie de rentrer chez moi pour que Gary soit tendre avec moi. Ou quelqu'un d'autre.

Laisse tomber, je me dis.

J'ai laissé un mot à ma mère. Pas long. Maman, je pars quelques jours. Ne t'inquiète pas. Je vais chez mes amis Martha et George, à Wickburg. Je n'ai pas d'amis à Wickburg. Je les ai inventés. Elle croit qu'ils existent, que je vais les voir quand je me barre. Je me demande si elle ne fait pas semblant d'y croire, pour soulager sa conscience et ne pas s'en vouloir de ne pas prévenir les flics. Est-ce que c'est méchant de penser ça ? De toute façon, je fais semblant de recevoir des lettres de Martha et George. Elle ne voit jamais les lettres, bien sûr, parce qu'il n'y en a pas. Je choisis un jour où elle n'est pas là quand le courrier arrive. Quand elle rentre et demande : « Pas de vrai courrier aujourd'hui ? » (c'est-à-dire des enveloppes sans fenêtres parce que les fenêtres, c'est pour les factures), je lui dis : « Si, Martha m'a écrit. » Et ma mère part se servir un verre comme elle fait toujours quand elle rentre à la maison après le travail ou les courses ou même un tour dans le quartier. Elle n'a jamais fait le rapport avec Martha et George Washington*.

J'ai laissé le mot bien en évidence. Je suis contente que, cette fois, elle ne soit pas toute seule, que Gary soit avec elle.

Je fais toujours attention quand je fais du stop. Je me tiens au bord de la Route 2, à l'endroit où elle croise la 190, celle qui va à Wickburg, à une cinquantaine de kilomètres de là, et je sais qu'il peut arriver plein de trucs nases.

Je fais attention aux voitures et surtout aux gros camions qui m'aspirent presque sous leurs roues quand ils passent en faisant « ouououf ».

Finalement une petite voiture rouge s'arrête et je cours vers elle. Il y a un type seul dans la voiture. Il est classe, élégant. Une odeur d'after-shave sort de la voiture quand il baisse sa vitre. Il y a une mallette sur le siège avant. Il sourit, d'un faux sourire de VRP, la main entre les cuisses.

– Bonjour, ma jolie ! Entre vite.

– Casse-toi, espèce de malade, je lui réponds.

Ses yeux crachent un truc très méchant, la vitre remonte à toute vitesse, ma main a failli rester coincée,

* Premier président des États-Unis, élu en 1789, et son épouse.

et la voiture démarre en trombe en soulevant un nuage de poussière.

Les voitures continuent à défiler et je ne lève pas toujours mon pouce. Je les regarde approcher et j'essaie de deviner quel genre de personne conduit. Je saute les voitures de sport, bien sûr, et j'ignore les camions. Si j'aperçois des dés ou un truc du genre qui pendouille au rétro, je saute aussi celle-là. Enfin, une camionnette bleue approche, poussiéreuse, elle a besoin d'être lavée. La poignée de ce qui doit être une tondeuse à gazon dépasse par la portière. Je tends mon pouce et adopte une expression que j'espère agréable. La camionnette ne s'arrête pas. Je hausse les épaules et reprends ma position mais quelque chose me fait me retourner. La camionnette a fait marche arrière, elle s'approche à reculons.

J'ouvre la portière et me glisse à l'intérieur et le chauffeur me jette un coup d'œil, des rides d'inquiétude creusent son front. Je me dis qu'il a la trentaine. Il est bien, soigné. Il porte un polo bleu ouvert sur la poitrine. Ses yeux aussi sont bleus.

Je m'installe dans le siège et dépose mon sac à dos par terre à mes pieds ; quand je me retourne, je vois qu'il a l'air de ne pas savoir quoi penser de ma présence. J'ai envie de lui demander ce qui ne va pas, mais en fait je sais ce qui ne va pas.

– Vous allez à Providence ? je lui demande.

Je ne leur donne jamais ma véritable destination et je sais que ce type avec sa tondeuse ne va sûrement pas jusqu'à Providence.

– À Monument, il dit. C'est assez loin ?

Et puis :

– Je n'ai jamais fait ça. Je veux dire, c'est quelque chose que je ne fais jamais, de prendre quelqu'un en stop. Surtout pas les jeunes filles.

– Je suis contente que vous vous soyez arrêté.

Je lui souris. Je déplace mes jambes, consciente que je suis en short.

Il me regarde un long moment. Il essaie de ne pas regarder mes jambes mais regarde quand même. Vite, et il détourne les yeux. Quand la voiture démarre, il demande :

– Pourquoi vous allez à Providence ?

Et puis aussitôt :

– Excusez-moi, je ne veux pas avoir l'air curieux.

Je ne suis plus toute seule. Il a l'air doux, il pourrait être tendre. J'écarte encore un peu les jambes et soupire, les épaules rejetées en arrière, je sais ce que ça fait à mes seins.

Une brise entre par la fenêtre ouverte à l'arrière de la camionnette. Son front est couvert de sueur. Il me sourit, d'un sourire hésitant.

On est dans la campagne, il y a des grands champs des deux côtés de la route, les arbres tremblent dans la chaleur, des buissons épais bordent le fossé. Ses phalanges qui agrippent le volant sont blanches. Sa pomme d'Adam s'agite quand il déglutit.

– Est-ce que vous voulez m'embrasser ?

Les mots sortent de ma bouche sans prévenir. Même si je pense que ce serait agréable qu'il me prenne dans ses bras et m'embrasse.

Je suis surprise de voir une grande personne rougir. Ses mains tremblent et lâchent le volant un quart de seconde et la voiture fait un écart. Il rattrape le volant.

Il ouvre la bouche pour parler mais aucun mot ne sort.

– Vous avez l'air très gentil, je lui dis. (Beaucoup plus gentil que le mec des CD.) Et vu comment vous me regardez, j'ai l'impression que vous aimeriez bien m'embrasser, faire quelques trucs.

C'est quelque chose que je sais de lui : il a dû rêver d'un truc pareil – sinon, pourquoi est-ce qu'il se serait arrêté pour me prendre en stop ? – je suis l'incarnation de son rêve. Je sais aussi que je peux gérer la situation : à cause de sa douceur.

– Vous voulez pas vous rabattre ? On dirait qu'il y a plein d'endroits où s'arrêter.

Le mec aux CD ne m'a donné que des CD et des cassettes vidéo. Peut-être que celui-ci peut me donner davantage. J'ai besoin d'un maximum d'argent si je veux tracer.

– Pourquoi ? il demande d'un ton désespéré, sa voix est un murmure, ses yeux sont remplis d'angoisse.

– Parce que je vous aime bien, je dis. Et puis : Peut-être que vous pouvez m'aider un peu. Mettons, vingt dollars…

Il garde les yeux fixés sur la route. Sur sa tempe, une veine saute, on dirait qu'elle va éclater. C'est le moment où il est en train de décider ce qu'il va faire. Je bouge plus. Je fais rien avec mes jambes ni avec mes seins. En fait, je retiens ma respiration.

– J'ai jamais fait ça, il dit.

– Je sais, je sais, je lui réponds, comme si c'était lui l'ado et moi l'adulte.

Il se gare au bord de la route, se glisse dans un endroit où les voitures qui passent ne le verront pas. La poignée de la tondeuse cogne contre la vitre quand on s'arrête.

Il se tourne vers moi, les yeux fermés, et je vais vers lui, je le laisse me prendre et il embrasse mes joues et ma gorge et ses mains parcourent mon corps. Il fait un drôle de bruit comme un gémissement quand il touche mes seins et sa main reste là, à me caresser. Je commence à me barrer dans ma tête, je le laisse presser et caresser, il n'est pas brusque du tout, parfois ses doigts tremblent. Je lui ouvre ma bouche et il gémit encore quand il m'embrasse et maintenant il est sur moi et je le laisse continuer parce qu'il est doux. Il respire vite, aussi, et halète en retirant ses lèvres, son cœur bat à toute vitesse contre moi et soudain tout son corps vibre comme s'il était traversé par un tremblement de terre et je sais qu'il a terminé. Il se met en boule sur son siège, la tête tournée de l'autre côté.

Et genre, il pleure.

J'ai jamais vu un homme pleurer.

Je touche son épaule, il me regarde et son visage me met en colère contre moi parce que c'est le visage le plus triste du monde et c'est à cause de moi.

Il baisse les yeux et voit mes poignets.

— C'est quoi? il demande en reniflant comme font les enfants quand les larmes s'arrêtent mais que la tristesse reste.

— C'est un chien qui m'a mordue. Un bull-terrier sauvage.

Si vous voulez mentir, vous devez être précis, pas vague. Les mots sont très importants. Comme «bull-terrier», par exemple. Ça a l'air authentique, même si je n'ai pas la moindre idée d'à quoi ressemble un bull-terrier. C'est le vieux Stuyvesant qui m'a appris à mentir quand j'étais en CM2. C'était l'homme à tout faire dans la cité et il me mettait sur ses genoux et me racontait plein de bons trucs. Ses mains étaient toujours douces.

— Vingt dollars, je dis en tendant ma main et en faisant comme si je ne voyais pas ses joues mouillées, comme si je ne me sentais pas coupable, brusquement.

Il s'essuie les joues avec un vieux Kleenex qu'il tire de sa poche. Puis il sort son portefeuille et en extrait un billet de vingt dollars et un autre de dix qu'il place dans ma main.

C'est un pourboire. Un pourboire de dix dollars pour avoir pleuré devant moi.

— Je suis désolé, je…

— Je sais. Vous n'avez jamais fait ça.

Mais je dis ça sincèrement, pas de manière sarcastique, parce que je le crois. Pour un peu, je lui demanderais des nouvelles de sa femme et de ses enfants. Je suis sûre qu'il a une femme très gentille et trois enfants, peut-être, deux garçons et une fille, le plus grand a à peu près mon âge. C'est peut-être pour ça qu'il a pleuré, après.

Il se prépare à repartir et met son portefeuille dans sa poche mais le portefeuille glisse et se coince dans l'espace entre les deux sièges. Au moment où la voiture reprend la route, je tends doucement la main et le ramasse, en bougeant un peu et en écartant les cuisses au cas où il regarderait de mon côté. Je glisse le portefeuille dans ma poche.

On roule en silence, ses yeux sont rivés à la route devant lui et je ne dis rien, aucun truc pour qu'il se sente mieux.

Il me laisse à l'extérieur de Monument.

Au moment où j'ouvre la portière pour sortir, il me touche l'épaule, vite, et retire sa main. Je le regarde : le chagrin est parti de ses yeux, et j'y vois ce que j'y ai vu plus tôt. Il veut que je remonte.

Je secoue la tête.

– Désolé, il dit.

– Enchantée de vous avoir rencontré, je réponds en pensant au portefeuille qui est dans ma poche.

Des fois, je suis une vraie salope.

Dans son portefeuille, il y a deux billets de vingt dollars et trois billets de un. Quarante-trois dollars. Il venait sûrement de tirer de l'argent d'une machine parce que les billets sont tout neufs et ils crissent. Ajoutés à mes trente-trois dollars perso, ça donne la somme royale de, quoi ? Soixante-seize dollars. Sans compter la monnaie.

Dans une poche, je trouve son permis de conduire. Il s'appelle Walter Clayton. Il est né le 16 juillet 1958. Il mesure 1,73 m. Il est de sexe masculin, bien sûr, et habite au 38 Humberton Road, à Monument. Sa photo n'est pas très flatteuse.

Dans la même poche, je trouve aussi sa carte d'assuré social avec son numéro d'identifiant, une carte de retrait bancaire, un billet de dix dollars bien plié (en cas d'urgence ?), rangé entre deux cartes de crédit, Visa et Mastercard.

Dans l'autre compartiment, il y a deux photos. Sur l'une d'elles, on voit une fille blonde de treize ou quatorze ans qui fait la grimace à l'appareil comme si elle avait le soleil dans les yeux. Elle n'est pas très jolie. Au dos de la photo est écrit son nom, Karen, sans date. On la voit aussi sur l'autre photo, avec un garçon qui a deux ou trois ans de moins qu'elle. Au dos, j'apprends qu'il s'appelle Kevin. La fille est jolie sur cette photo, avec des cheveux blonds qui brillent et un grand sourire. Kevin a l'air grave, comme s'il aimerait mieux être ailleurs, en train de jouer au base-ball par exemple.

Je suis assise sur un tronc au bord de la route, dissimulée par des buissons. J'entends passer les voitures pendant que j'examine ce qu'il y a dans le portefeuille. Je remets tout en place et reste assise, les yeux dans le vague.

C'est pas la première fois que je vole un truc, mais c'est la première fois que je vole une personne, quelqu'un qui a un nom. Walter Clayton, un homme qui a une famille. Je me demande pourquoi il n'a pas de photo de sa femme sur lui. Peut-être qu'il est divorcé. Peut-être qu'elle est morte. Ou alors elle tient l'appareil, c'est pour ça qu'elle n'est pas sur la photo – j'aime mieux cette idée. En tout cas, voler Walter Clayton c'est autre chose que voler dans un endroit impersonnel comme un magasin. Quand on vole dans un magasin, on ne se sent pas trop mal après, pas comme maintenant en sachant que Walter Clayton a non seulement perdu son argent mais ses cartes de crédit et son permis de conduire, et en pensant à toutes les démarches qu'il va devoir entreprendre pour refaire ses papiers. Sans compter qu'il va devoir expliquer à sa femme comment il a perdu son portefeuille et qu'il va devoir mentir. Ou peut-être que ça lui servira de leçon, ça lui apprendra à prendre des filles dans sa voiture et à leur donner de l'argent pour les toucher et les tenir dans ses bras. Je me rappelle comment il a pleuré, après. Quand j'arriverai à Wickburg, j'achèterai un timbre et une enveloppe et je lui renverrai ses cartes de crédit, son permis, et les photos, aussi.

Finalement, je suis arrivée à Wickburg en fin d'après-midi. J'ai presque tout fait à pied, en me traînant le long de la nationale 190 sans lever le pouce ; j'en avais marre d'essayer de juger les voitures et les conducteurs. J'avais eu ma dose d'aventures pour la journée.

À la fin, une voiture s'est arrêtée. Je lui ai jeté un regard méfiant mais là, j'ai vu la plaque «Handicapé». Une femme aux cheveux gris a ouvert la portière côté passager et m'a demandé si je voulais faire un bout de chemin avec eux. C'est comme ça qu'elle a dit, faire un bout de chemin avec eux. J'ai jeté un coup d'œil dans la voiture et j'ai vu le conducteur qui avait aussi les cheveux gris. Il y avait plein de gadgets accrochés au volant. Leurs voix étaient douces. Ils avaient tous les deux des yeux gris et doux. Le conducteur avait l'air jovial, malgré tous les gadgets accrochés à son volant. Je n'ai pas vu ses jambes. «Vous avez l'air claquée, a dit la femme. Ça vous ferait pas de mal de vous asseoir un moment et de souffler un peu.» C'est ce qu'elle a dit : claquée. Je pense qu'elle voulait dire crevée. Et c'est vrai que je l'étais, crevée, et moite sous les aisselles.

L'homme a allumé la radio quand on a démarré. Une musique country a enveloppé la voiture, une chanson triste qui parlait d'un amour perdu en train de danser dans un bar. J'ai essayé de rayer la musique dans ma tête et de me rappeler les bang et les boum de Throb et ses paroles :

*Mange mon cœur*
*Mâche-le bien*
*Avale mon âme, aussi.*

Et je me suis endormie comme on tombe dans un puits, avec une eau paisible qui clapotait sur mes os en train de fondre.

Ils m'ont déposée au coin de Main et Madison dans le centre de Wickburg, à trois rues du palais des Congrès. J'avais honte d'avoir dormi presque tout le chemin et de leur avoir à peine parlé.

«Merci», j'ai crié quand ils sont partis. Je crois qu'ils ne m'ont pas entendue. Et je les ai aussitôt oubliés parce qu'en levant la tête j'ai vu une énorme affiche sur le toit d'un immeuble qui montrait la photo de Throb dans son costume de fou avec son trou noir dans la bouche.

Je suis dans la ruelle qui sépare l'hôtel Mariott d'un immeuble de bureaux et je cherche la porte de l'hôtel qui ne ressemble pas à une porte d'hôtel. C'est une porte secrète qu'utilisent les stars pour échapper à la foule massée devant la porte d'entrée et la porte de derrière aussi, et pour se rendre au palais des Congrès, une rue plus loin, sans être remarquées.

Les abords de l'hôtel Mariott sont bondés de fans, de policiers et d'agents de sécurité. Je trouve un coin tranquille près de la benne à ordures dans la ruelle. J'ai tiré une jupe longue de mon sac que j'ai enfilée par-dessus mon short. Un petit vent soulève les saletés qui jonchent le sol mais n'apporte aucune fraîcheur. En fait, il ranime les odeurs de la benne où un truc est en train de pourrir. Je fixe la porte secrète des yeux.

Soudain, le voilà : Throb. Quatre ou cinq personnes, genre gardes du corps, débarquent avec lui. Il a mis sa tenue de fou, avec ses cheveux orange, son pantalon trop large, pas de chemise, des bretelles vert fluo et une nouveauté : des anneaux accrochés à ses tétons. Il bâille, bâille carrément, je vois le trou dans sa bouche et ça me donne le signal du départ.

Je fonce dans la ruelle et traverse comme une boule de bowling les quelques mètres qui nous séparent, bouscule ses gardes du corps et me retrouve plantée devant lui. Il écarquille les yeux de surprise et ses yeux sont méchants, verts, avec des traces rouges. Ils me dévorent, ces yeux.

Ses gardes ne se sont pas encore remis de mon attaque-surprise et ne savent pas quoi faire, mais moi je sais. Je dois l'embrasser. Plus que ça, je dois mettre ma langue dans le trou qu'il a dans la bouche et en finir avec mon obsession. Je prends sa tête dans mes mains et lui plante un baiser monstrueux dans la bouche, mes lèvres dévorent les siennes, ma langue glisse entre ses lèvres et découvre un goût de whisky, et d'autre chose aussi. Ma langue s'est glissée entre ses dents, dans le fameux trou, et maintenant les gardes me tirent et me crient dessus, mais Throb est cloué sur place, comme hypnotisé. Je m'arrache aux mains qui cherchent à m'attraper et fonce, en me prenant les pieds dans ma jupe, mon sac à dos bringuebale et je crache le goût de sa bouche tout en courant. À l'entrée de la ruelle, la foule déboule, elle a fini par repérer Throb et je me précipite au milieu des gens. Je continue à cracher son sale goût, je me perds dans la masse grouillante et remuante, je sais que je me suis débarrassée de mon obsession et que je peux reprendre le cours de ma vie, quel qu'il soit.

Il faut que je réfléchisse à ce que je fais, maintenant, à ce que je vais faire ce soir et où je vais passer la nuit. J'entre au Wickburg Diner, un endroit tout en métal et en verre qui ressemble à un wagon-restaurant et où je venais souvent quand ma mère et moi on habitait ici.

Je commande un café et un hamburger et m'assois sur la banquette, la housse en plastique est fraîche dans mon dos et l'air conditionné déverse une douche froide très agréable sur mes épaules.

Une télé est accrochée au plafond et j'essaie d'ignorer les voix et les images tandis que j'attends ma commande. Je n'ai pas vraiment faim mais j'ai l'estomac vide et je sens que j'ai besoin de me nourrir. Une odeur de friture flotte dans l'air, c'est toujours une odeur de solitude pour moi, pas une odeur qui évoque la maison comme les gâteaux ou les rôtis cuits dans le four que ma mère prépare toujours le premier jour qu'on arrive dans un appart et plus jamais après.

Deux filles sont assises à la table d'à côté, elles gloussent et rigolent et se disent des trucs à l'oreille. C'est pas des vraies filles, je les connais. Je connais pas leurs noms, bien sûr, mais je sais ce que c'est. C'est comme les filles que je vois traîner dans les rues, avec des sacs à main en plastique pas cher, elles ont quelque chose de triste, malgré leurs rires et leur maquillage. Celle qui est assise face à moi a de grands yeux bruns, l'autre est blonde.

Je lève les yeux vers la télé mais je vois que des images, j'entends que des sons. Le reste, je l'écarte.

J'arrive bien à faire ça, à évacuer les trucs que je ne veux pas voir, comme quand je suis couchée dans mon lit, sans dormir, la nuit, et que Gary et ma mère sont dans la pièce d'à côté et que je débranche ma tête et mes oreilles pour pas savoir ce qui est en train de se passer.

Mais la télé s'impose maintenant, et un visage sur l'écran me ramène ici et maintenant. Je connais ce visage. La voix du présentateur parvient à mes oreilles :

« ... sera libéré vendredi. L'État ne peut plus le garder en prison et un meurtrier va donc se retrouver en liberté parmi nous... »

Maintenant on voit une scène qui se passe devant une prison, il y a plein de monde et un type qui sort d'une camionnette de flics et qu'on emmène dans un tribunal. Le type se retourne et fait face à la caméra. Je vois ses yeux, des yeux dont je me souviens, et la manière dont ses lèvres se retroussent pour esquisser un sourire, ce sourire comme il n'y en a pas deux au monde. La voix du présentateur poursuit :

« On le voit arriver au tribunal du comté de Polk pour sa dernière apparition devant la cour... Durant toute sa détention, il ne s'est jamais exprimé au sujet de sa condamnation pour meurtres par le juge des enfants... »

– Ça me gênerait pas d'être incarcérée avec lui, dit la blonde à la table d'à côté.

– Mais c'est un assassin, dit la fille aux yeux bruns.

– Pas mal, comme façon de mourir, répond la première.

Maintenant, sa tête est de nouveau à l'écran, en gros plan, avec ses yeux qui fixent la caméra comme s'il ne regardait rien ni personne et puis, tout d'un coup, ce sourire incroyable de nouveau. Et là, ça le fait, je me rappelle ce sourire, qui revient d'une époque lointaine, celle où on habitait ici, à Wickburg, avec ma mère et je me rappelle la manière dont ses yeux m'avaient regardée et sa voix aussi, je me souviens de sa voix: «Bon anniversaire.» C'est ce qu'il m'avait dit, les mots résonnent dans ma tête. J'entends quelqu'un gémir et aussitôt, je sais que ça doit être moi parce que je viens de bloquer, encore une fois, sur lui maintenant, si vite, trop vite après l'autre.

Mais j'y peux rien.

Et la voix de la télé, encore:

«Éric Poole n'a pas fait part de ses projets mais selon des rumeurs, il aurait l'intention de s'installer chez sa tante, à Wickburg, dans le Massachussetts, et déjà les voisins s'élèvent contre la présence d'un assassin dans le quartier...»

Maintenant, on voit une rue, avec des maisons comme les autres, des petits pavillons avec des grilles et des arbres le long du trottoir et des gens qui se rassemblent, certains portent des pancartes mais la caméra bouge trop vite pour qu'on puisse lire ce qu'il y a écrit.

J'efface tout, je ferme les yeux et les oreilles aux voix et aux images de la télé. Mais son visage apparaît dans le noir de mes paupières.

Ça y est, j'ai vraiment bloqué à nouveau, il n'y a rien à faire, je sais que je dois trouver Éric Poole et l'embrasser, coller mes lèvres sur ses lèvres, ma langue sur sa langue, que c'est la seule façon de mettre fin à cette nouvelle obsession.

Éric Poole démarra avec les chats. Ou plutôt, pour être exact, avec les chatons. Il aimait les tenir, les caresser, palper leurs petits os friables sous leur pelage. Des os fragiles, on aurait dit qu'ils allaient se briser si on les caressait trop, si on appuyait trop fort. Ce qu'il fit, bien sûr, impossible de résister. Plus tard, il ne se contenta pas de les caresser mais découvrit qu'il était plus pratique de les serrer dans ses bras en posant ses mains sur leur tête pendant qu'ils devenaient inertes. C'était sa technique préférée, tellement tendre. Ensuite, inévitablement, les chatons se transformaient en chats et ce n'était plus la même chose. Ils n'étaient plus aussi confiants et résistaient davantage. Cela demandait des mesures plus radicales, ce qu'il détestait. Il détestait les mesures radicales. Détestait la violence mais parfois n'y pouvait rien. Il fallait se plier aux exigences et aux impératifs d'une situation. Du coup, il adopta des méthodes plus énergiques. Et il s'y habitua. Il y prit goût, même. Je nettoie le quartier, se disait-il. Il fredonnait ces paroles tout en faisant son travail. Le vrai problème, c'était comment s'en débarrasser. Tout en nettoyant le quartier de sa population féline, il médita la question. Et trouva la réponse la plus appropriée : enterrer tout ça. Ce qui signifiait se procurer une pelle. Et creuser. Et transpirer. Il n'aimait pas transpirer. N'aimait pas que les parfums de son corps flottent dans l'air et que d'autres puissent les absorber. Pourtant, ça lui faisait du bien de faire un peu d'exercice. Il n'en faisait pas assez. C'est ce que sa mère lui disait toujours. Elle voulait qu'il soit plus actif. Qu'il fasse des trucs. L'aide à la maison. Sorte un peu, au centre commercial au moins. Elle voulait se débarrasser de lui pour avoir Harvey à elle toute seule.

Donc il alla au centre commercial. C'est là qu'il passa à l'étape supérieure. Après les chats, les chatons et bien sûr le canari de Tante Phoebe. Ce canari fut le seul représentant de la gent ailée à bénéficier de son attention. Il n'avait pas pu s'en empêcher, même si son acte lui attira, pour la première fois, quelques soupçons.

– Comment Rudy a-t-il bien pu sortir de sa cage? demanda Tante Phoebe, complètement interloquée.

Rudy, quel nom ridicule pour un canari!

– Peut-être que la porte de sa cage était mal fermée, suggéra Éric, le visage respirant l'innocence.

Il avait un visage innocent. Et beau, aussi. Innocence et beauté, confirmées à chaque coup d'œil qu'il jetait dans le miroir, ce qui lui arrivait souvent.

– Rudy était malin, reprit-il. Peut-être qu'il a ouvert le loquet avec son bec et qu'il a volé dans tous les sens et qu'il s'est écrasé contre un mur.

Ça l'avait amusé de lui raconter ça et d'observer son expression, un mélange de tristesse et de perplexité. Elle avait l'air vraiment triste quand elle avait pris le petit Rudy dans ses mains. Pauvre petite chose, écrasée comme ça, si facilement, un petit bruit sec et fini, terminé. Et les larmes dans les yeux de Tante Phoebe. Pour un oiseau, franchement.

Éliminer Rudy avait constitué le point fort de ses vacances chez Tante Phoebe, à Wickburg, cette année-là.

De retour chez lui, au centre commercial, il découvrit une boutique pleine de petits animaux de toutes sortes, enfermés bien à l'abri dans leurs cages. Il les contempla sans curiosité. Il en avait assez des animaux, de toute façon.

Qu'est-ce qu'il lui restait d'autre ?

Il observa les gens qui faisaient leurs courses, qui portaient des paquets. Ou qui traînaient. Les vieux, assis sur les bancs de plastique jaune, qui discutaient doucement entre eux. Les gens qui passaient devant les boutiques, pressés de se rendre quelque part. Les adolescents avec leurs habits beaucoup trop grands pour eux, leurs chemises sorties, leurs pantalons bouchonnant bêtement aux chevilles, leurs casquettes de baseball à l'envers. Les filles, surtout, étaient horribles avec leurs couleurs criardes, leurs boucles d'oreilles délirantes, trop de rouge à lèvres, leurs cheveux dans tous les sens, parfois même un anneau dans le nez et une insolence sur le visage, dans le regard.

Lui s'habillait toujours bien. Avec des vêtements propres. Des Nike lacées jusqu'en haut, un blouson immaculé. Mais pas trop bien, quand même. Il ne voulait pas attirer l'attention, ne voulait pas être l'objet des regards. Surtout pas des regards insolents des filles. Ou des vieillards aux yeux larmoyants.

Qui choisir, alors ? Une fille ou une personne âgée ?

La question le surprit, parce qu'il n'avait pas l'intention de choisir quoi que ce soit, ni qui que ce soit en particulier, il préférait laisser faire le hasard, se laisser guider par les événements. Comme pour les chatons, les chats et même Rudy. Il n'avait jamais rien prévu, il se laissait porter, écoutait son instinct. Maintenant, il faudrait faire autrement, il le savait. Les soupçons. Les enquêtes. Il allait falloir planifier, comploter, ce qui rendait l'affaire plutôt excitante.

L'excitation était pour lui une expérience nouvelle.

Il était rarement, voire quasiment jamais, excité par quelque chose. Il ne s'ennuyait pas non plus. Il se trouvait quelque part entre les deux, avec l'impression que quelque chose d'important arriverait un jour, bientôt peut-être. À l'école, il faisait ce qu'on lui demandait, obtenait de bonnes notes, n'oubliait jamais ses devoirs, accumulait les faits et les chiffres et les recrachait comme convenu, se distinguait même sans l'avoir cherché, c'était l'ordinateur qui faisait le travail. Ça faisait plaisir aux profs, à sa mère et même à Harvey qui se fendait d'un petit sourire mesquin une fois de temps en temps. Mais que Harvey aille au diable. Il fallait qu'il supporte Harvey et sa mère jusqu'à ce que les choses changent. En attendant, il tâcha de s'éloigner de lui et passa de plus en plus de temps au centre commercial. Des grandes pancartes indiquaient que ce centre était le deuxième de toute la Nouvelle-Angleterre, par sa taille. Il se disait qu'il n'y avait pas de quoi se vanter, mais la galerie était un endroit plus intéressant que chez lui. Il était fasciné, par exemple, par le changement des saisons. En réalité, le centre commercial était dépourvu de variations climatiques, de soleil, de lune, d'étoiles, de vent, de pluie ou de neige. Et pourtant, les saisons s'y livraient à une ronde permanente, Noël, la Saint-Valentin, la fête des Mères, les couleurs, les étalages et les décorations collaient de près au calendrier. À la Saint-Patrick*, des lutins et des

* C'est la fête des Irlandais, le 17 mars.

trèfles, à Pâques des lapins et des œufs décorés un peu partout. En ce moment, pourtant, le centre observait une trêve entre la fête des Mères et le 4 juillet*.

Dans l'attente que la situation se précise, il se mit à limiter ses visites. Il prit garde à ne s'attarder dans aucune zone en particulier. Il faisait de petits achats, transportait toujours un paquet ou un autre. N'achetait pas toujours mais choisissait un sac en plastique parmi tous ceux qu'il conservait à la maison, Walden Books, Hallmark, Strawberry, et le remplissait avec n'importe quoi, histoire de passer pour un client. Il se mit à se déguiser un peu. Il s'habillait comme les autres adolescents, même s'il détestait porter des habits trop grands pour lui. Il fit un tour dans une boutique de vêtements d'occasion, en ville, et s'acheta quelques trucs. Il détestait porter des habits que d'autres avaient mis avant lui mais il se força. Il changea souvent de coiffure, parfois avec une frange, parfois les cheveux lissés en arrière comme un acteur de jadis. De temps à autre, il portait son bras en écharpe. D'autres fois, il faisait semblant de boiter.

Le centre commercial se trouvait à quatre kilomètres de chez lui et parfois Harvey l'y conduisait, trop content de se débarrasser de lui un moment. D'autres fois, il prenait le bus, même s'il détestait cette promiscuité avec des étrangers qui toussaient et transpiraient, inspiraient et expiraient, mais il sacrifiait ses désirs et ses préférences personnelles pour la cause.

Quelle cause? Il n'en savait rien. Mais il avait le sentiment qu'un événement important arriverait un jour. Ce jour-là, il faudrait être prêt.

* Fête nationale des États-Unis.

Et le jour arriva.

Il repéra la fille en fin d'après-midi. Elle était grande, avec de longs cheveux bruns qui flottaient sur ses épaules, mince, calme ; elle portait un chemisier blanc et un pantalon marron.

Elle se tenait très droite, comme si elle avait porté un livre en équilibre sur la tête.

Il se mit à la suivre, en boitant un peu. Ce jour-là il faisait semblant de boiter et traînait le pied droit. Il prit garde à ne pas la perdre de vue, à se trouver ni trop loin ni trop près. La galerie marchande était noire de monde. C'était jeudi, jour de paye dans les usines et les ateliers du coin, et les ouvriers arrivaient par hordes pour encaisser leurs chèques, manger chez McDonald's et faire quelques folies.

La fille se dirigea vers la porte E, ce qui convenait parfaitement à Éric car c'était la partie la plus reculée du centre, les bois se trouvaient à moins d'un terrain de football derrière la station de bus. Il vit les portes qui s'ouvraient automatiquement pour la laisser sortir. Tout en continuant de boiter, il fit en sorte d'accélérer le pas, tous les sens en alerte ; autour de lui, les couleurs lui paraissaient vives et brillantes et son pas n'arrivait pas à suivre le rythme de son cœur qui s'emballait.

— Mon problème, Éric, c'est ton absence de remords.

— Mais c'est mon problème, pas le vôtre.

— Et ton insolence.

— Je ne cherche pas à être insolent. Je suis sincère. Je dis la vérité et parfois la vérité blesse. Par exemple, vous avez mauvaise haleine, inspecteur. Je le sens d'ici. Ça doit déranger beaucoup de gens. C'est la vérité. Mais combien de gens vous l'ont dit? Au lieu de vous le dire, ils mentent ou évitent votre compagnie.

En vérité, Éric ne savait pas du tout si l'inspecteur avait mauvaise haleine. Mais il aimait lui tendre des pièges et attendre sa réaction. Avait-il légèrement rougi?

— Ton bagou, ça aussi c'est un problème, dit encore l'inspecteur en poursuivant l'assaut verbal pour lequel Éric l'admirait — pas énormément mais un peu quand même.

— Écoutez, inspecteur, on sait bien quel est le problème, non? C'est pas mon absence de remords ni mon bagou. Le problème c'est que je vais avoir dix-huit ans dans trois jours et qu'on ne peut pas me garder en prison. C'est bien ça le problème, non?

L'inspecteur ne répondit rien. C'était un vieil homme, avec un visage plein de crevasses, des yeux bleus tristes et des cheveux gris clairsemés. Il fumait des cigarettes à la chaîne dont les cendres tombaient au hasard sur sa chemise ou sa cravate. Sa veste et son pantalon n'étaient jamais assortis. Il faisait partie des policiers qui l'avaient arrêté, trois ans plus tôt, et lui avaient passé les menottes aux poignets. Puis, quand Éric avait commencé à purger sa peine, il s'était mis à lui rendre visite. Au cours des trois années qu'Éric avait passées en prison, il était venu le voir quatre fois par an, à chaque changement de saison.

— Pourquoi est-ce que vous continuez à venir? lui demanda Éric à la fin de la première année.

— Pourquoi est-ce que tu continues à me recevoir? répliqua l'inspecteur, comme un prof qui veut faire répondre l'élève.

— Vous ne croyez pas qu'il est temps de prendre votre retraite? Vous avez l'air vieux et fatigué, dit Éric, aucune sympathie dans la voix.

Le vieil homme avait l'air triste, aussi, mais Éric garda le silence là-dessus.

— Et qu'est-ce que je ferais si je prenais ma retraite? Je n'ai pas de passe-temps, pas de famille. On me confie des affaires faciles. En fait, c'est toi mon passe-temps. Je veux trouver ce qui te fait marcher. Comme si t'étais une montre cassée et moi l'horloger.

— Qui vous a dit que la montre était cassée? avait demandé Éric, agacé, mais le vieil homme n'avait pas répondu, se contentant d'allumer une autre cigarette.

Et c'est précisément ce qu'il était en train de faire maintenant, sans doute la dernière cigarette de sa dernière visite.

— Tu es un psychopathe, Éric.

La fumée sortit de la bouche de l'inspecteur comme si ses mots étaient nourris par un feu intérieur.

— Un monstre.

Éric recula, comme si l'inspecteur l'avait frappé au visage. Un monstre?

— Il y a de fortes chances que tu commettes de nouveaux crimes. Tu le sais et moi aussi je le sais.

Le vieux flic n'essayait-il pas de le faire craquer? De lui faire perdre son sang-froid? «Ne le laisse pas faire.» Monstre n'était qu'un mot, de toute façon. Et l'inspecteur n'avait que ça comme armes: des mots.

— Vous êtes bien sûr de vous, inspecteur, dit Éric et le son de sa voix le rassura car il retrouvait une fois de plus le contrôle de la conversation. Vous parlez à tort et à travers. Je n'ai même pas été condamné par un jury.

C'est un juge qui s'est occupé de mon cas. Il n'a pas trouvé que j'étais un monstre. Il était très compatissant. Comme plein d'autres gens, d'ailleurs.

– Plein d'autres gens? Est-ce que tu les as seulement regardés? Qui étaient-ils, que voulaient-ils? Tu as tué ton père et ta mère, Éric. De sang-froid.

Il n'avait plus l'air fatigué.

Éric ne sourit pas mais ses yeux brillèrent. L'inspecteur ne savait rien des autres. Personne n'en savait rien.

– Harvey n'était pas mon père, dit Éric en laissant les autres de côté. C'était mon beau-père. J'avais des circonstances atténuantes, inspecteur. Toute cette souffrance…

– Qu'est-ce que tu sais de la souffrance? répliqua le vieux flic.

– Vous ne voulez même pas me laisser ma douleur, n'est-ce pas, inspecteur?

Il avait volé trois cigarettes dans le paquet de Marlboro de Harvey. Était allé dans la cabane de la cour, sa planque, sa cabane coincée sous des érables envahissants dont les branches dissimulaient presque la porte d'entrée. Un verrou à combinaison en empêchait l'entrée à tout autre que lui. Sa retraite loin du monde. Quand il en avait assez de sa mère et de Harvey, du centre commercial, de l'école, de tout, il allait dans la cabane et y restait assis. Sur la vieille chaise de bureau. «Qu'est-ce que tu fais là-dedans?» lui demandait souvent Harvey d'un ton méfiant – il soupçonnait toujours tout et tout le monde. «Rien», répondait Éric. La plupart du temps, il ne se donnait pas la peine de répondre à Harvey, ce qui le rendait furieux. Il ne répondait que quand il pouvait marquer un point.

En réalité, «rien» était une réponse honnête. Parce qu'il ne faisait rien dans la cabane, à part s'asseoir et penser. Ou ne pas penser, d'ailleurs. Il devenait vide. C'était comme dormir éveillé.

Cette fois-là, il ne se contenta pas de s'asseoir et de penser. Non, il se mit à faire ce qu'il avait à faire. Il ouvrit un peu la fenêtre pour laisser sortir la fumée. C'était une chance que la fenêtre soit face aux bois et non à la maison. Il alluma la première cigarette sans avaler, fit la grimace quand la fumée envahit son visage, ses yeux et répandit son goût dans sa bouche. Il contempla avec curiosité l'extrémité rougeoyante. Posa la cigarette sur un couvercle de bocal servant de cendrier et releva la manche de son bras droit. Peau lisse et pâle. Il fit tomber les cendres, étudia le bout allumé encore un moment, puis prit son courage à deux mains et appliqua cette extrémité sur sa chair.

La férocité pure de la douleur le prit par surprise et il ne put qu'émettre un seul son de douleur : «Aaahhh.» Puis il ferma la bouche, serra les mâchoires et pressa ses lèvres l'une contre l'autre. La partie incandescente de la cigarette tomba par terre. Il l'écrasa, toujours sous le coup de la douleur et peu enclin à regarder son bras. De ses doigts tremblants, il alluma une autre cigarette, les yeux plissés à cause de la fumée qui l'enveloppait, et il se vit placer l'extrémité allumée contre sa chair à quelques centimètres de l'endroit précédent. La bouche tordue, il suffoqua et laissa échapper un cri étouffé. Voyant que la cigarette était restée allumée, il l'appliqua encore à un autre endroit, car il savait que la douleur atteint un certain degré et ne va pas plus loin, elle demeure dans toute son intensité et on peut y survivre.

Mais mon Dieu, qu'est-ce que ça faisait mal... et ça déclenchait des choses étranges dans son corps: une vague de nausée lui envahit l'estomac, ses genoux devinrent tout mous et flasques et sa tête fut prise d'un soudain vertige qui fit tourner toute la chambre autour de lui en lui donnant mal au cœur, jusqu'à ce que les choses reprennent enfin leur place. Il tendit le bras droit devant lui et se força à regarder les trois marques cruelles et roussies; il sentait l'odeur de sa chair brûlée — non, pas de sa chair mais des poils de son bras, roussis et noircis maintenant.

Il fit soudain un bond de douleur, inattendue celle-là. La seconde cigarette qu'il tenait entre les doigts de sa main gauche s'était entièrement consumée et venait de le brûler. Il la laissa tomber et l'écrasa. Puis il tendit le bras de nouveau et sourit d'un air sinistre en contemplant ses trois brûlures.

Il avait prévu de se servir aussi du marteau mais décida que les brûlures suffisaient pour aujourd'hui. Il gardait le marteau pour demain. Apercevant l'étau qui était fixé à la table, il se demanda s'il ne pouvait pas s'en servir pour se casser le bras plus facilement. Ce serait peut-être mieux que d'utiliser seulement le marteau.

*
* *

— Tu représentes une menace pour la société, Éric. Parce que tu es incapable de ressentir quoi que ce soit. As-tu jamais éprouvé quelque chose? De la tristesse? Ou des remords? Pour ce que tu as fait à ta mère, à ton beau-père? Pas le moindre remords? As-tu jamais éprouvé de la joie, même? C'est pour cela que tu es un psychopathe, Éric. Tu es incapable de te connecter aux autres. Les émotions, voilà ce qui nous unit tous. Sans émotions, sans sentiments, nous ne sommes rien. Des animaux. Des zéros, des nullités.

— J'ai lu quelque part que les cygnes s'accouplent pour la vie, inspecteur. Il doit bien y avoir là une forme de sentiment, une forme d'émotion. Les animaux en savent peut-être plus, concernant les émotions, que nous ne leur accordons.

Éric aimait bien ces joutes verbales avec le vieil inspecteur. Il savait qu'il pouvait jouer à cache-cache avec lui. En réalité son bagou profitait avant tout à l'inspecteur. D'ordinaire, il n'avait pas grand-chose à dire à quiconque, surtout pas ici. Parler avec le vieux, lui tendre des pièges de temps à autre rompait la monotonie de l'institution.

— Ne joue pas avec moi, Éric. Tu sais très bien ce que je veux dire par absence d'émotions…

Pourtant, il en avait éprouvé de la peine pour la fille du centre commercial. Après coup, il avait pris son corps inerte dans ses bras et l'avait bercée doucement, en remarquant qu'elle était trop maquillée. De ses doigts, il avait caressé les longs cheveux noirs. Il avait ouvert sa bouche et dénombré cinq caries. Mais son investigation s'était arrêtée là car un bruit de pas, accompagné du bruissement de buissons qu'on écarte, était parvenu à ses oreilles. Il s'était plaqué sur la fille, sans plus bouger, en écoutant les bruits de pas passer près de lui et s'éloigner. Et de nouveau le silence, troublé seulement par le son des voitures roulant sur la route au loin. Il avait soupiré de soulagement et s'était promis d'être plus prudent, à l'avenir.

Cela avait été si facile d'attirer la fille loin du centre commercial. Tout d'abord, il avait cessé de boiter sitôt franchie la porte. Une fois dehors, dans la fraîcheur du crépuscule, il l'avait repérée qui attendait à la station de bus. Il n'y avait personne d'autre en vue. Il s'était alors approché et avait branché le Charme. Depuis qu'il était tout petit, le Charme faisait des merveilles. Son sourire, ainsi que ses cheveux blonds et ses yeux bleus. Quand il souriait, quelque chose se produisait dans ses yeux. On aurait dit qu'ils souriaient, eux aussi, qu'ils brillaient même. Irrésistible. Il avait regardé le Charme opérer en s'étudiant dans le miroir. Quel gentil petit garçon, entendait-il dire autour de lui quand il était tout petit. Puis : Vous avez un bien joli garçon, madame Poole. Éric était grand et mince. À quinze ans, il faisait presque 1,80 m. Les filles essayaient de le draguer au lycée mais il n'y prêtait pas attention. Les garçons se tenaient à l'écart et cela lui était égal. Il préférait rester seul. Il se reflétait dans les attitudes des autres. Jouissait de leur admiration. En règle générale. Car le Charme ne fonctionnait pas avec tout le monde. Il y avait des gens qui restaient insensibles. Des gens qu'il ne parvenait pas à séduire. Un prof, de temps en temps. Certaines personnes qui le regardaient d'un air indifférent ou se détournaient, pas du tout impressionnées, méfiantes même. Un vendeur dans un magasin, peut-être, ou un chauffeur de bus. Et Ginger Rowell, en particulier, qu'il avait invitée à se rendre avec lui à la fête de printemps de l'école, en quatrième. Personnellement, il n'avait aucun désir d'y aller, mais sa mère l'avait tanné. « Tout le monde a envie d'aller à la fête de l'école, avait-elle répété. Enfin, tous les gens normaux. » Ce qui l'avait piqué au vif. Normaux? Il avait donc invité Ginger Rowell. Qui n'avait rien de spécial, mais qui était mignonne, dynamique, et déléguée de classe. Elle l'avait évalué d'un regard froid en répondant: «Non merci.» Elle l'avait humilié et elle était partie, le laissant là, stupéfait. Il avait ainsi appris assez tôt qu'il y avait des gens qui ne répondaient pas comme il faut au Charme et il ne s'en approchait pas, les ignorait, les mettait à l'écart de sa vie comme s'ils n'existaient pas.

Pour lui, sa mère était une énigme. En général, elle le regardait avec les yeux tendres de l'amour. Elle l'embrassait toujours pour lui souhaiter bonne nuit, un baiser qui laissait une empreinte mouillée sur sa joue. Il se rappelait vaguement quelques bons moments de son enfance passés à lui faire des câlins au lit. Mais il n'aimait pas repenser à ces moments-là depuis que Harvey était arrivé. Parfois, il surprenait sa mère qui le regardait, les yeux plissés, comme s'il était un inconnu.

C'était un enfant obéissant. Il rangeait sa chambre. Il ne se plaignait pas quand elle l'envoyait faire des courses, même si cela le dérangeait. Il n'écoutait jamais sa musique trop fort. Il n'était pas insolent, ne lui répondait jamais quand elle disait des bêtises. Elle avait l'habitude de tout répéter deux fois: Il fait froid dehors. Il fait froid dehors. Tu as passé une bonne journée à l'école? Tu as passé une bonne journée à l'école? Il le supportait, plaisantait parfois avec elle à ce sujet, ne s'énervait pas pour autant. Mais Harvey, si. Beaucoup de choses énervaient Harvey. Éric avant tout. Ils se détestèrent dès le premier regard. Rectification: Éric ne le détestait pas. Harvey ne méritait pas qu'on le déteste. Ce n'était qu'un horrible échantillon d'humanité. Mais qu'est-ce qu'elle lui trouve? C'était une question à laquelle il n'obtint jamais de réponse.

Le corps inerte de la fille dans ses bras, il repensa à sa mère et à Ginger Rowell. Il imagina Ginger étendue ainsi près de lui mais rejeta aussitôt cette vision. Ginger était petite et blonde, la fille grande et brune. Pourtant, Ginger avait vu quelque chose dans ses yeux dont Éric connaissait l'existence, et il ne pouvait pas lui en vouloir, malgré l'humiliation. C'était la faute de sa mère qui l'avait forcé à inviter Ginger. Pour la première fois, la lueur de ce qu'il ferait subir un jour à sa mère et à Harvey, telle une étoile lointaine, apparut dans sa conscience.

Allongé près de la fille, ignorant le parfum bon marché qui emplissait ses narines, Éric soupira de contentement. Finalement, il la reposa doucement entre les buissons, écartant avec soin une mèche de cheveux de son visage. Ces cheveux noirs. Son bras gauche retomba, pâle et fragile. Sans savoir pourquoi, il fit courir sa bouche sur sa peau, si chaude et moite sous ses lèvres. Un sentiment de félicité l'envahit. Il n'avait jamais connu une telle tendresse, tout son corps en tremblait. Il comprit qu'il lui faudrait retrouver ça.

– Et tes projets, Éric? Tu veux en parler?

La voix du vieil inspecteur s'était radoucie.

– Où tu vas aller, ce que tu vas faire… Personne n'est venu te rendre visite, ici. Et ça fait un moment que tu n'as pas reçu de courrier.

Éric avait été inondé de courrier au début, lors de son arrivée à l'institution. Des lettres de gamins qui le considéraient comme une sorte de héros. Ou de martyr. Ou de victime. La plupart des lettres étaient écrites par des adolescentes, qui envoyaient aussi des photos d'elles-mêmes, des pauvres photos à un dollar prises au Photomaton du centre commercial. Certaines lettres portaient des traces de rouge à lèvres, des promesses, des gages. Je t'attendrai toute ma vie. Il y eut aussi des lettres et des cartes de skinheads, de néonazis, de tarés et de malades qu'Éric jetait sans y répondre.

Au bout d'un moment, il arrêta de lire les lettres et les cartes postales. D'ailleurs, il n'y avait jamais répondu et ignorait les demandes d'autographes qui lui parvenaient. Il distribuait aux autres détenus les cadeaux qu'il recevait, gâteaux faits maison, cartes de vœux réalisées à la main, cravates, quelques boîtes de préservatifs. Les détenus lui réclamèrent ses lettres afin de pouvoir répondre aux filles qui les avaient envoyées, mais Éric refusa de les leur céder. Pourquoi infliger ces tristes sires, ces ratés à de pauvres filles qui ne se méfiaient pas ? Ce qui ne le rendit pas particulièrement populaire parmi les autres détenus, malgré tous les gâteaux et les bonbons qu'il fit circuler. Éric considérait ses compagnons de prison avec indifférence. Il ne voulait pas se faire d'amis. Ni d'ennemis. Il voulait simplement qu'on le laisse tranquille, qu'on lui épargne les conversations idiotes et qu'on lui permette de purger sa peine sans problèmes d'aucune sorte. Ce qui fut facile. Comme c'était le seul meurtrier de l'institution, il vivait pour l'essentiel à l'écart des autres prisonniers. Il partageait leurs cours, leurs besognes et leurs repas. Mais sa cellule se trouvait dans une aile à part. Il prenait ses récréations tout seul, et tournait dans la cour pendant que les autres étaient à l'intérieur. Il n'avait pas le droit de participer aux sports collectifs et regardait les matchs de base-ball depuis sa fenêtre au deuxième étage. Il appréciait sa solitude. La plupart des autres détenus étaient des idiots, ils s'étaient fait prendre pour des délits minables que n'importe quelle personne douée d'un tant soit peu d'intelligence n'aurait pas commis, et pour lesquels elle ne se serait sûrement pas fait prendre la main dans le sac.

Son cas avait attiré l'attention de tout le pays quand les autorités avaient essayé de le juger comme un adulte pour le meurtre de sa mère et de son beau-père. Il était à deux mois de son quinzième anniversaire. Il était resté muet durant toute la débauche médiatique, n'accordant aucune interview, ne faisant aucune déclaration. Quand il se laissait photographier, il n'oubliait jamais de sourire à l'appareil, pas du sourire du Charmeur, mais d'un sourire triste, mélancolique qui, selon ses calculs, devait adoucir son image. Il abattit sa carte maîtresse devant le commissariat, face aux caméras, après son arrestation. Lentement, délibérément, il releva ses manches et montra les marques de brûlures de cigarette sur son bras, les contusions, traces de son bras cassé. Les blessures constituaient des preuves muettes mais indéniables des mauvais traitements que lui avait fait subir son beau-père, mauvais traitements que sa mère avait non seulement tolérés mais encouragés, expliqua-t-il à ses interrogateurs.

Les manifestations de soutien en sa faveur ne se firent pas attendre, non seulement celles des tarés qui lui envoyaient des lettres et des cadeaux, mais aussi celles des professeurs d'université, de journaux même lointains comme celui de Boston. Ils avaient bien fait son jeu. Aucun de ceux qui le soutenaient ne prit la peine d'étudier son cas de plus près et il suffit de quelques

51

cicatrices et d'un sourire triste pour les convaincre qu'on lui avait fait du tort. Tuez vos parents et devenez une victime. Quel pays formidable, se dit-il.

Il ne fut pas disculpé, bien sûr, puisqu'il avait avoué les meurtres. Mais ses cicatrices et les tonnes d'articles écrits par les professeurs, les journalistes et les rédacteurs en chef lui valurent d'être jugé comme un délinquant juvénile et non comme un adulte. Ce qui signifiait qu'il fut placé sous la juridiction du département de la Jeunesse et purgea sa peine dans une institution pour jeunes délinquants et non dans une prison traditionnelle. Et qu'il serait libéré, sans condition, à l'âge de dix-huit ans, c'est-à-dire dans trois jours. Et voilà que le vieil inspecteur, ravalant sa colère, l'interrogeait sur ses projets.

Il n'avait parlé à personne, éducateurs ou conseillers, de ce qu'il ferait, où il irait quand les portes de la prison se refermeraient derrière lui, vendredi prochain. Il n'en avait pas parlé, tout simplement parce qu'il n'était pas tenu de le faire. Sa liberté serait totale, sans limites. Pas surveillée ni conditionnelle. On refermerait son dossier. Il n'aurait de comptes à rendre à personne à propos de ses actions à venir. Des projets, bien sûr qu'il en avait. Des projets à long terme. Qui ne regardaient personne. Mais ses projets à court terme étaient différents et en parler au vieil inspecteur pouvait lui être utile.

— Je vais aller vivre chez ma tante Phoebe, à Wickburg, dans le Massachusetts, jusqu'à ce que j'aie décidé ce que je veux faire.

L'inspecteur arbora un air sceptique.

— Elle n'est jamais venue te rendre visite. Est-ce qu'elle est au courant?

— Tante Phoebe n'aime pas voyager et je n'avais pas envie qu'elle me voie ici. Mais on s'est écrit. Et j'ai eu le droit de lui téléphoner la semaine dernière. Elle a dit qu'elle serait contente de m'accueillir. C'est la sœur de ma mère.

— Et sur le plan professionnel ? Tu as terminé le lycée ici, tu as passé ton bac. Tu t'es très bien débrouillé à l'atelier d'usinage...

Éric détestait l'atelier. Il avait vite compris les règles à suivre et les consignes à respecter pour fabriquer outils et machines mais n'avait pas l'intention de gagner sa vie de cette façon.

— Reprendre des études, peut-être. Je veux pouvoir me poser un peu.

— La presse est à prendre en compte, Éric. Ils vont te traquer. Ils t'attendront à la sortie. Ils te suivront chez ta tante Phoebe. Ils feront le guet jour et nuit. Tu es le dernier représentant d'une espèce en voie d'extinction. Les choses bougent à l'extérieur. On adopte de nouvelles lois, avec des peines plus lourdes pour les jeunes qui commettent des délits graves. De plus en plus souvent, on les juge comme s'ils étaient adultes...

— Tout cela ne me regarde pas, inspecteur, reprit Éric en l'interrompant. (Il savait qu'il était temps de faire son numéro, de ressortir le Charme, et de convaincre le vieux flic qu'il avait changé.) Je veux faire quelque chose de ma vie, dit-il en laissant pointer le sourire mélancolique. Il paraît que le corps se renouvelle au bout de quelques années. Quand je suis arrivé ici, j'avais juste quinze ans, je repars à dix-huit et je suis quelqu'un de différent. Le gosse qui a tué ses parents, c'était un autre. Je veux repartir à zéro...

Trop de charme? Pas assez? Avait-il l'air sincère?

L'inspecteur le regarda fixement pendant un moment, le visage dénué de toute expression. Il écrasa sa cigarette dans le cendrier en verre et tenta d'essuyer les traces de cendres sur sa cravate sans y parvenir. Les restes d'une cigarette antérieure, sans doute. Il prit sa vieille mallette défoncée, l'ouvrit, en sortit un gros carnet à spirale. Il examina une série de pattes de mouche en fronçant les sourcils. Puis il se mit à lire d'une voix plate et monocorde :

– Laura Andersun. Quinze ans. Corps retrouvé dans les buissons près du centre commercial de Greenhill. Étranglée. Violentée, probablement après avoir trouvé la mort.

Et il regarda Éric droit dans les yeux.

Tant pis pour le Charme, se dit Éric. Et pour la sincérité.

– C'est de la vieille histoire, inspecteur. On ne m'a jamais accusé de la mort de Laura Andersun. On m'a interrogé, c'est sûr, parce qu'elle s'est produite la même année que la mort de ma mère et de mon beau-père. Une pure coïncidence. Il n'y a pas eu de poursuites. Il n'y avait aucun motif.

– Les psychopathes n'ont pas besoin de motifs, répliqua le vieux flic.

– Des témoins ont dit que la fille était suivie par un infirme. Un type qui boitait.

– C'est facile de faire semblant de boiter, reprit l'inspecteur de sa voix toujours morne, implacable.

Il reposa les yeux sur son calepin.

– Betty Ann Tersa, récita-t-il. Seize ans. Disparue six semaines après la mort de Laura Andersun. Un mois après celle de ta mère et de Harvey. Toujours disparue. Probablement morte.

Éric fut vraiment surpris mais garda un visage impassible, en se forçant à rester calme. Personne ne l'avait jamais interrogé au sujet de Betty Ann Tersa. Personne n'avait jamais mentionné son nom devant lui. Il avait détourné les yeux du carnet, ne voulait pas que l'inspecteur voie qu'il cherchait un autre nom, celui d'une troisième fille dont personne n'était au courant.

— Betty Ann Tersa, fit Éric d'un ton songeur, autorisant ses lèvres à prononcer son nom et évoquer ce moment de tendresse ressenti derrière la décharge, ses cheveux noirs et parfumés dans sa bouche. C'est un nom qui m'est vaguement familier. Elle n'habitait pas sur la côte Ouest?

— Exactement, dit le vieux flic d'un ton joyeux, comme si Éric avait trouvé la bonne réponse et gagné un prix. Mais elle avait de la famille ici, en Nouvelle-Angleterre. Un oncle et une tante à qui elle rendait parfois visite.

— Je ne savais pas, dit Éric.

— Eh bien maintenant tu le sais, dit l'inspecteur. Quatre morts, Éric. Ta mère, ton beau-père, Laura Andersun, Betty Ann Tersa. À quelques mois d'écart. Extraordinaire, n'est-ce pas?

Et une cinquième que personne ne soupçonnait, ce qui la rendait vraiment extraordinaire, celle-là, pensa Éric qui reprit:

— Mais vous avez dit que le corps de Betty Ann Tersa n'a jamais été retrouvé. Peut-être est-ce une fugue…

— Pas de doute, elle est bien morte, dit le vieux flic. N'est-ce pas, Éric?

Éric secoua la tête.

– Pourquoi faites-vous ça, inspecteur? Vous êtes proche de la retraite, non? Vous devriez profiter un peu de la vie. Combien d'années vous reste-t-il à vivre? Vous devriez penser à ces choses-là, plutôt.

– Est-ce une menace, Éric?

– Bien sûr que non.

Il retenta le coup du Charme.

– Je n'oserais pas vous menacer. Tout ce que je veux, c'est sortir d'ici et mener une vie normale.

Le vieux flic soupira, ses épaules se soulevèrent et retombèrent. Il se détourna, remit le carnet dans sa mallette. Se leva et appuya contre la table son ventre de vieux qui saillait légèrement.

– Alors, on ne va plus se revoir, n'est-ce pas inspecteur? Nos petits rendez-vous vont me manquer, déclara Éric, surpris de constater qu'il était sincère.

Les yeux de l'inspecteur brillèrent soudain, comme si la lassitude et la tristesse avaient été remplacées par – par quoi? Un regard sournois de victoire. Mais quel genre de victoire?

– Le jour où tu sortiras d'ici, je serai devant la porte et je te dirai au revoir, dit-il.

Mais son regard et son ton de voix semblaient dire que ce jour n'était pas près d'arriver.

C'était la deuxième surprise que le vieux flic lui réservait aujourd'hui. D'abord les noms sur le carnet, puis cet éclair de triomphe.

– Vendredi, dit Éric en répétant comme pour bien insister. Vendredi. C'est vendredi qu'il faut venir me dire au revoir…

L'inspecteur ne répondit pas. Son silence était lourd de

menaces. Il prit sa mallette dans ses bras et la pressa contre sa poitrine comme pour protéger ses vieux os. Puis il se traîna jusqu'à la porte, marqua un arrêt et se retourna; l'étincelle avait disparu de ses yeux, son triomphe passager était passé. Il avait l'air de ce qu'il était: un vieil homme triste et fatigué, vaincu par Éric Poole.

Éric écarta l'image de l'inspecteur sitôt qu'il eut fermé la porte. De retour dans sa chambre, il jeta un œil au calendrier accroché au mur et sourit en voyant le cercle rouge qui entourait vendredi. Puis, il aperçut son livre d'arts martiaux posé sur le couvre-lit gris. Ce matin, quand il avait quitté la chambre, il se trouvait sur le rebord de la fenêtre. Il l'ouvrit, fit tourner les pages et trouva un mot glissé entre les pages 72 et 73. Dans une écriture grossière qui cherchait délibérément à se camoufler, il disait:

«Un prêté pour un rendu. Fais gaffe. Ne te laisse pas provoquer ou tu risques de ne pas sortir vendredi. Ou de ne pas sortir du tout.»

Le mot n'était pas signé mais Éric savait qui l'avait écrit. Il savait aussi maintenant d'où venait l'éclair de triomphe qu'il avait vu luire dans les yeux du vieux flic.

Le cauchemar de l'inspecteur de police Jake Proctor revint quand Éric Poole débarqua dans sa vie. Le rêve commençait toujours par des enfants qui hurlaient au loin, hors de sa vue, et leurs cris s'amplifiaient, s'approchaient jusqu'à ce qu'il les aperçoive. Des petites filles en robe blanche. Qui couraient, couraient comme pour fuir quelque chose de terrible, leurs yeux vides comme un dessin inachevé, leurs cris tellement horribles qu'il finissait par se réveiller d'un bond. Comme maintenant, cœur battant, jambes et bras tremblants.

Le vieux flic s'assit dans le lit et s'efforça de chasser le cauchemar en ouvrant les yeux. Il alluma une cigarette de ses doigts agités. Il avait cru laisser ce rêve dans l'Oregon, il y avait bien longtemps. Mais pas du tout, bien sûr.

Ses vieux os protestèrent quand il se tira du lit, et les cris des enfants finirent par disparaître quand il parvint dans la partie cuisine de l'appartement. L'aube, fantôme gris, pointait à la fenêtre. Il remplit la bouilloire qu'il plaça sur le feu et se mit inévitablement à penser à Éric Poole. Et à vendredi. Et à son plan.

Lewis, lui, était contre le plan, bien sûr. Il était responsable adjoint aux questions de la jeunesse et appliquait strictement le règlement, n'aimait pas improviser. Noir ou blanc, c'était comme ça, et Lewis ne tolérait jamais le gris. Il croyait aux faits, pas aux intuitions.

Harding, le chef de Jake, ça ne le gênait pas de modifier un peu les règles. Et c'est pour ça qu'il avait franchi tous les échelons jusqu'au poste le plus élevé. Il savait ce qui s'était passé dans l'Oregon et avait accordé une certaine latitude à Proctor. «Mais je vous en supplie, soyez prudent. Et faites attention à vous. Vous n'êtes plus un gamin...»

Jake Proctor avait été flic vingt-six ans dans l'Oregon et encore vingt ans en Nouvelle-Angleterre. Il avait fait tous les secteurs, avait reçu éloges et promotions et s'était finalement retrouvé inspecteur, un poste où son instinct et son opiniâtreté au travail lui avaient apporté beaucoup de réussites mais pas de satisfaction. Son échec fatal en Oregon avait terni tous les triomphes de sa carrière.

Cet échec se résumait à une image qu'il ne parvenait pas à effacer de sa mémoire : la berge de la rivière à l'extérieur de la ville où il les vit tirer le corps d'une nouvelle enfant des eaux bouillonnantes. En regardant la forme inerte dans les bras d'un des sauveteurs, il constata avec stupéfaction qu'il la connaissait. Elle avait fait sa première communion le dimanche précédent à l'église Saint-Antoine où il suivait l'office depuis toujours. Il ne connaissait pas son nom ni rien d'autre à son sujet, mais il avait été frappé par sa douce innocence quand elle avait descendu l'allée dans sa robe blanche, les mains croisées sur la poitrine, les yeux baissés. Pour la première fois, l'absence d'enfant dans sa vie lui était apparue comme un manque et il s'était demandé s'il n'avait pas fait une erreur en évitant le mariage et même toute relation intime. L'enfant passa près de son banc, si près qu'il aurait pu toucher son épaule.

Ce fut la troisième victime de ce qui s'avéra par la

suite une série de cinq meurtres par un serial killer. Cinq enfants de moins de dix ans, enlevées et étranglées le premier lundi du mois, chaque meurtre survenant exactement trois mois après le précédent. L'assassin traquait les enfants comme une ombre et ne laissait aucun indice derrière lui. Après le cinquième, les meurtres s'arrêtèrent. Ce premier lundi tant redouté se déroula sans incident. Sans corps d'enfant. Sans parents en larmes, hébétés. Jake Proctor et son équipe de détectives se félicitèrent comme s'ils avaient d'une certaine façon réussi à résoudre le problème, en riant nerveusement de soulagement. Cette nuit-là, pour la première fois, Proctor rêva des enfants qui hurlaient. Après, il resta longtemps éveillé dans son lit, repensant à l'enfant qui avait descendu l'allée de l'église, ses fragiles mains jointes. Il était heureux soudain de ne s'être jamais marié, de ne pas avoir eu d'enfants, d'avoir ainsi éliminé la douleur d'une perte possible. Pourquoi alors cette souffrance soudaine qu'il finit par analyser comme étant de la solitude ?

En buvant son thé, il jeta un coup d'œil par la fenêtre aux mornes bâtiments qui se découpaient dans la lumière naissante. Cette vieille ville de Nouvelle-Angleterre ressemblait à celle d'Oregon qu'il avait fuie, mû par le besoin de repartir à zéro, aussi loin que possible du lieu de son échec, d'une côte à l'autre. Il s'immergea dans la routine de son travail de policier. Les longues journées ne le dérangeaient pas et il faisait des heures supplémentaires sans demander à être payé, afin de soulager les jeunes flics qui avaient des familles. Il consacrait son temps libre à rechercher des preuves pour de vieux dossiers non classés. Il découvrit que le travail pouvait être bienfaisant, remplir les heures, les jours, les semaines. Jusqu'au jour où on se rend compte que les années ont passé sans qu'on s'en soit aperçu. Son ratage de l'Oregon s'estompa dans sa mémoire et son cauchemar ne vint plus le perturber. Jusqu'au jour où Éric Poole arriva dans sa vie.

Assis en retrait dans la salle des interrogatoires, alors qu'il regardait ses collègues questionner Éric Poole, un vague souvenir remua en lui. Il se souvint de quelqu'un qu'il avait chassé de son esprit vingt ans plus tôt, le seul suspect dans cette série de meurtres en Oregon. Son nom lui revint du fin fond de sa mémoire : Derek Larrington. On l'avait trouvé dans les parages de la rivière dans laquelle le corps de la petite communiante et, plus tard, celui d'une gamine rousse nommée Susan Crone avaient été jetés. Derek Larrington s'était montré poli, serviable, répondant aux questions sans hésitation. Il venait de passer son bac avec mention dans un des lycées du coin et travaillait cet été-là comme serveur afin de mettre de l'argent de côté pour l'université. L'interrogatoire avait été bref, tout simplement parce que le garçon avait une explication logique pour justifier sa présence au bord de la rivière : il avait rendez-vous avec une fille. La fille, qu'on fit appeler plus tard, confirma son histoire. Il avait aussi des alibis pour les autres meurtres. De toute façon, il avait à peine dix-huit ans – comment pouvait-il être un serial killer ?

Après l'interrogatoire, Jake raccompagna Derek Larrington à la porte du commissariat. Le garçon n'arrêtait pas de parler, comme surexcité. Ou peut-être sa nervosité finissait-elle par se manifester. Après lui avoir présenté encore une fois ses excuses, Jake regarda le garçon descendre les marches et s'éloigner d'un pas vif. Quelque chose incita Jake à rester là pendant que Derek Larrington parcourait la rue. Le soleil se reflétait sur les pare-brise des voitures, mais ce jour resta un jour sombre dans la mémoire du détective. Juste avant de tourner le coin de la rue, le garçon jeta un regard par-dessus son épaule, non pas en direction de Proctor mais du bâtiment dans son ensemble. Un sourire éclaira son visage. Plus qu'un sourire, se dit Proctor, un rictus auto-satisfait avec un soupçon de malice. Ou de malveillance. Jake Proctor frissonna malgré la chaleur. Tandis que le garçon disparaissait au coin de la rue, Proctor dut réprimer une envie brusque de lui courir après pour lui demander : Et pourquoi ce sourire ? Laisse tomber, se dit-il. Trois experts l'avaient interrogé, il avait des alibis et une fille qui soutenait son histoire. Mais les alibis pouvaient être fabriqués et les témoins contraints… Arrête, se dit-il, pris dans un tourbillon d'émotions. Laissait-il sa souffrance et son angoisse affecter son jugement, et un lointain sourire malicieux fausser ses intuitions ?

Vingt ans plus tard, il assista à l'interrogatoire d'un autre garçon propre sur lui, aux manières bien comme il faut. Cette fois, le suspect admit volontiers avoir assassiné sa mère et son beau-père. Il raconta son histoire de manière directe, dénuée d'émotions. Il répondit poliment à toutes les questions, comme s'il souhaitait faciliter l'enquête de la police.

Jake Proctor observa attentivement Éric Poole quand celui-ci exhiba les cicatrices sur son bras et la trace de la fracture. Plus tard, devant les appareils, un sourire mélancolique apparut sur son visage, un sourire destiné à montrer au monde entier qu'il essayait de dissimuler sa souffrance. Les reporters photo ne pouvaient pas résister à ce petit sourire pitoyable.

Mais Proctor aperçut un autre sourire sur les lèvres d'Éric quand on l'eut reconduit dans sa cellule pour attendre la lecture de l'acte d'accusation qui devait avoir lieu le lendemain. On avait pris les précautions nécessaires pour éviter toute tentative de suicide, retiré sa ceinture, ses lacets, tout ce dont il aurait pu se servir contre lui-même. Une caméra placée dans un angle supérieur de la pièce permettait de suivre tous ses mouvements. Sans savoir pourquoi, Proctor revint vers la cellule après avoir laissé les autres le distancer. Impossible de se débarrasser de l'impression qu'Éric Poole n'était pas ce qu'il semblait être. Ses réponses étaient trop nettes, comme s'il avait répété. Jetant un œil dans la cellule, il vit qu'Éric avait tourné le dos à la caméra et pris son menton dans ses mains. Et il souriait – ce même sourire de satisfaction qu'il avait observé sur le visage de l'autre garçon, tant d'années auparavant. Un sourire de triomphe secret, comme s'il avait joué un tour au monde entier et qu'il le savourait maintenant, dans la solitude.

Jake Proctor alla consulter les dossiers et fit apparaître sur l'ordinateur le cas de Laura Andersun, dont le corps avait été retrouvé dans les bois, près d'un centre commercial, à moins de cinq kilomètres de chez Éric Poole. Un autre dossier lui apprit qu'une fille du nom de Betty Ann Tersa, venue en visite de Los Angeles, avait disparu trois mois plus tôt. Malgré ses brûlures et son bras cassé, il ne faisait pas de doute qu'Éric Poole avait assassiné sa mère et son beau-père de sang-froid. Pas une lueur de remords n'était apparue dans ses yeux quand il avait avoué le crime. Le meurtre de Laura Andersun et la disparition de Betty Ann Tersa n'étaient-elles que de simples coïncidences?

C'est ainsi que Proctor démarra son enquête et plus tard ses visites à l'institution pour jeunes où Éric avait été envoyé après comparution devant les tribunaux en tant que mineur. Toute son expérience lui donnait à penser qu'Éric Poole était un serial killer, telle une réincarnation maléfique de l'assassin des cinq enfants de l'Oregon. Le vieux flic ne croyait pas à la réincarnation mais il croyait à son intuition et fit le vœu muet de mettre un terme à la sinistre carrière de Poole d'une manière ou d'une autre.

La sonnerie du téléphone interrompit ses pensées et Proctor posa sa tasse de thé sur la table.

Comme il pouvait s'y attendre, c'était Pickett. Jeune et ambitieux, Jimmy Pickett travaillait depuis un an dans la section que dirigeait Proctor. Il servait désormais de jambes au vieux flic. Tous les matins, il l'appelait juste après sept heures. Pour t'assurer que je suis encore en vie, lui disait Jake. Mais en réalité pour le mettre au courant des dernières nouvelles avant que Proctor ne parte au bureau.

— Encore deux jours, chef, lui dit Pickett. Vous croyez que c'est pour aujourd'hui?

— Si c'est pas pour aujourd'hui, ce sera pour demain. Ou pour un autre jour.

— Et si ça ne marche pas? demanda Pickett, un anxieux de nature au visage encore couvert d'acné juvénile. Qu'est-ce qu'on fait?

Jake soupira mais il retrouvait un peu de son ancienne vitalité à l'idée d'attraper sa proie, Éric Poole.

– On attend. À chaque jour suffit sa peine.

Pickett soupira, lui aussi.

– O.K., fit-il d'un ton résigné.

Jake Proctor savait ce que c'était d'être jeune, impatient et de vouloir de l'action immédiatement, là, maintenant.

– Sois patient, Jimmy, sois patient...

Cela faisait vingt ans que lui, vieux flic, se montrait patient.

Éric Poole ne rêvait pas. Ses heures de sommeil étaient un grand vide. Il fermait les yeux le soir et plongeait instantanément dans le néant du sommeil et s'éveillait tout aussi soudainement, ses yeux s'ouvrant d'un seul coup pour accueillir une nouvelle journée, une journée sans espoir ni désespoir. Ses trois années passées en détention avaient été constituées de journées comme ça. Maintenant, il n'en restait plus que trois et il avait peine à prendre conscience que la liberté était à portée de main.

Il savait, au moment où il avait éliminé sa mère et Harvey de ce monde, qu'il devait s'attendre à être privé de liberté pendant un certain nombre d'années. Il savait aussi qu'ainsi il se protégeait. Protégeait de quoi? De refaire ce qu'il avait fait à ces trois filles, même si l'inspecteur Proctor, malin comme il était pourtant, et pas aussi facile à tromper que les autres, croyait qu'il n'y en avait que deux. C'est vrai qu'il avait surpris Éric en mentionnant les noms de Laura Andersun et Betty Ann Tersa, mais ce vieux flic n'avait pas la moindre notion d'une autre qui s'appelait Alicia Hunt et qui était la plus belle de toutes.

Éric savait qu'il s'était engagé sur une route dangereuse avec ces filles, il prenait trop de risques, trop souvent. Il finit par éprouver le besoin de faire une pause. Temporaire, bien sûr. Il aimait bien passer pour plus vieux qu'il n'était et on lui donnait facilement dix-sept ou dix-huit ans. Mais il connaissait, malgré tout, les inconvénients d'être mineur. Pas de permis de conduire, pas de source de revenus. Il savait qu'il allait à sa perte, qu'il avait toutes les chances de se casser la figure s'il continuait sur cette lancée. En conséquence, le meurtre de sa mère et de Harvey servirait plusieurs buts. D'abord il se débarrasserait d'un beau-père qu'il haïssait farouchement et d'une mère responsable d'avoir introduit cet inconnu dans leur maison. Ça lui permettrait aussi de mettre en place un plan à long terme. Celui-ci avait mûri à la lecture de la presse, grâce à laquelle il avait appris que l'État autorisait à juger comme mineurs les enfants responsables de délits graves quand ils avaient été victimes de mauvais traitements. Ce qui signifiait qu'ils retrouvaient la liberté à l'âge de dix-huit ans. Il prit aussi connaissance des efforts menés par certains afin que les mineurs soient jugés comme des adultes pour ces mêmes crimes. Ou que la durée des sanctions infligées aux mineurs soit portée jusqu'à l'âge de vingt et un ans. Éric vit l'intérêt d'accomplir les meurtres le plus vite possible, avant que la loi ne soit modifiée. Il sacrifierait trois ans de sa vie en échange de cinquante ou soixante années pendant lesquelles il serait libre d'agir à sa guise.

Quelle aubaine, se dit-il en pensant à Harvey et à sa mère. Il accomplit les meurtres avec méthode, sans passion ni regret, mais il connut une sensation d'excitation intense quand Harvey le regarda dans les yeux, au moment crucial, et comprit ce qui se passait. «Au revoir, Harvey», murmura Éric en voyant la lueur vitale s'éteindre dans ses pupilles. Un instant dépourvu de tendresse mais empreint d'une certaine beauté, malgré tout.

Après quelques mois passés en prison, Éric fut surpris de ressentir du désir pour la première fois de sa vie, un désir de tendresse rendu d'autant plus fort qu'il était impossible à obtenir là où il se trouvait.

Même s'il ne rêvait pas, il passait de doux moments dans son lit, recroquevillé comme dans le ventre de sa mère, les yeux mi-clos, à faire resurgir quelques moments passés auprès des trois filles – Laura, Betty Ann et Alicia. Moments d'intimité et d'extase et d'une telle tendresse qu'elle en devenait une souffrance pour lui. Mais une douce souffrance qu'il ne résistait pas à solliciter dans la pâle routine qu'était devenue son existence. Il s'aperçut qu'il pouvait interchanger les filles dans sa mémoire et comprit, pour la première fois, à quel point elles se ressemblaient ; il prit conscience qu'il était toujours attiré par des filles grandes et minces, aux longs cheveux noirs et aux yeux pleins de promesses cachées que lui seul savait déchiffrer. C'était Alicia la plus belle de toutes, avec sa peau mate et ses cheveux épais qui retombaient sur ses épaules, des cheveux qui faisaient battre son cœur et lui mettaient l'eau à la bouche.

Il l'avait rencontrée un week-end où sa mère et Harvey s'étaient rendus dans le Maine, sur la côte, pour un court séjour. Éric les avait convaincus de le laisser seul à la maison, se doutant que Harvey préférerait de toute façon se passer de sa compagnie. On afficha une liste de règles et de consignes sur la porte du frigo et Éric promit de les respecter. Une heure après leur départ, il prit un bus pour la ville d'Albany, dans l'État de New York, à trois heures et demie de route de là. Acheter un billet ne nécessitait aucun papier d'identité, ne laissait aucun indice.

Il se déguisa à peine, les cheveux lissés en arrière, le nez chaussé de lunettes à monture d'écaille qu'il avait achetées aux puces quelque temps auparavant. Les lunettes lui donnaient un peu mal à la tête et brouillaient légèrement sa vue mais cet effet flou adoucissait, en réalité, la dureté des choses, émoussant les lignes acérées des bâtiments, des trottoirs, des panneaux et des miroirs. À Albany, il prit un bus local pour une ville choisie au hasard, parce que son nom lui plaisait. Haven*. Il fit en sorte d'arriver au moment de la sortie des classes au lycée de Haven. Il avait tourné un peu, finissant par repérer celle qui serait Alicia Hunt. Mettre en marche le Charme et l'entraîner loin de l'arrêt du bus scolaire avait été chose facile. Elle sentait tellement bon, une odeur acidulée et fraîche comme des grands prés au printemps. Ses doigts tremblèrent quand il prit sa main et elle répondit à son geste en s'appuyant contre lui. Il avait aimé répondre à ses questions, s'inventer de toutes pièces une histoire et un nouveau nom, Carlo Jones, fils d'une Sud-Américaine farouche et passionnée et d'un comptable (quelle idée). «Oh, Carlo», avait-elle murmuré dans cet endroit secret où elle l'avait emmené, un lieu à elle où elle venait rêver, loin de son univers quotidien. Ils avaient passé une heure magnifique ensemble, à explorer leurs corps avec des caresses maladroites et des baisers fougueux. Et puis ces dernières minutes où il s'était senti submergé de tendresse. Et d'une forme de tristesse, aussi, surprenante, en repensant à Carlo Jones et en se demandant à quoi aurait ressemblé sa vie s'il avait été quelqu'un d'autre.

* *Haven* signifie «havre», «refuge» en anglais.

Sentant la présence de quelqu'un, il s'était immobilisé, l'oreille aux aguets. L'instant s'écoula et il ne repensa plus jamais à devenir Carlo Jones. Mais de temps à autre, il passait de tendres moments à se remémorer Alicia Hunt.

À l'institution, il ne se laissait pas trop souvent aller à ses rêveries, car il connaissait le danger d'un trop grand désir et savait qu'il devait reporter ces envies à plus tard. Il se plongea donc dans la routine de ce lieu, tout comme il s'était adapté autrefois à l'école et à la maison, n'y prenant aucun plaisir mais l'acceptant comme une contrainte temporaire. Pendant tout le temps qu'il passa au centre de détention, ce n'est qu'à deux reprises qu'il fut sur le point de connaître de véritables moments de tendresse.

La première fois, ce fut avec la souris qui avait pris l'habitude de lui rendre visite tous les jours. Il la découvrit un jour en revenant dans sa chambre, après l'un des innombrables ateliers. Petite mignonne. Son premier instinct fut d'attraper la visiteuse et de l'éliminer aussitôt. La souris avait violé son domaine réservé et devait être exécutée. Mais il était fasciné par le petit animal. Il contempla son pelage et s'imagina ses os, minuscules et fragiles.

Il s'amusa à regarder la souris jouer dans son coin, avec ses petites pattes qui patinaient sur le sol et son petit nez de rongeur qui frémissait. Elle disparut dans un trou si petit qu'il fut éberlué de la voir s'y infiltrer. Ce soir-là, après le dîner, il rapporta un morceau de fromage de la cafétéria et effrita quelques miettes dans le coin. Le lendemain matin, le fromage avait disparu. Il sourit et la peau de son visage lui fit un effet étrange. Il s'aperçut que ça faisait des siècles qu'il n'avait pas souri.

Il ne parvenait pas à se rappeler quand cela lui était arrivé pour la dernière fois.

Il continua à nourrir la souris au cours des jours qui suivirent et la regarda faire ses cabrioles dans son coin, constatant avec surprise qu'elle ne semblait pas prendre de poids. Peut-être y en avait-il plus d'une : elles se ressemblaient toutes, bien sûr. La souris se mit à faire partie de son quotidien, de sa vie. Un après-midi, elle ne vint pas et il l'attendit. Fit les cent pas dans sa chambre. Essaya de lire mais n'y parvint pas. La pièce semblait avoir perdu une certaine essence qu'il ne parvenait pas à nommer. Puis, soudain, il comprit. Il s'y sentait seul. Pour la première fois de sa vie, il sut ce qu'était la solitude. Jusqu'à présent, ce mot n'avait jamais rien signifié pour lui.

Pris de court par cette émotion inhabituelle, il se leva d'un bond et voulut partir, sortir de là. Mais c'était impossible, bien sûr. Ce soir-là, il alla se coucher sans se livrer à ses occupations habituelles : sans faire ses cent pompes, sans lire un chapitre du livre d'arts martiaux qu'il avait acheté à la dérobée auprès d'un autre prisonnier, sans revivre un des moments heureux de sa vie avec l'une de ses brunes. Il resta allongé sur le dos, les yeux au plafond, les oreilles tendues, à l'affût des bruits de la souris. Mais il n'entendit rien.

La souris revint le lendemain. Il la trouva, en rentrant de son dernier cours de la journée, qui furetait dans la chambre.

Soudain, la souris s'immobilisa, comme consciente de sa présence, se dressa sur ses pattes arrière, remua son nez flaireur dans sa direction. Il avança vers elle. La souris ne bougeait pas, l'attendait. Il continua d'approcher à pas furtifs, brusquement excité, se rappelant qu'il s'était approché ainsi de Betty Ann. Betty Ann, comme la souris, n'avait aucune idée de ce qui l'attendait.

Il tendit le bras et s'empara du petit rongeur avec une facilité qui ne le surprit pas. C'était comme si la souris connaissait son destin et se sacrifiait. Son petit corps battait doucement dans la main d'Éric. Elle remua le nez, agita les pattes. En dépit de la solitude qui découlerait de son geste, il le savait, Éric la serra doucement, amoureusement, à la recherche de la tendresse.

Dans sa main, la souris cessa de bouger et le moment de tendresse, rapide, fugace, fut presque inexistant. Déçu, il glissa le corps dans sa poche et le jeta dans la cuvette des toilettes. Il n'éprouva aucun regret, il n'éprouva rien, d'ailleurs, quand les eaux bouillonnantes engloutirent le petit rongeur.

Sa deuxième tentative de recherche de tendresse à l'institution avait été un échec total. Sans compter qu'il s'était mis dans une situation dangereuse. Une petite frappe surnommée Petit Gars avait participé à l'incident.

Où qu'on aille, il y a toujours une petite frappe. Dans la cour d'école, dans les couloirs, sur les terrains de sport. En prison aussi, parce qu'un jour ou l'autre les petites frappes finissent toujours par se planter. Des petites frappes, il y en a de toutes les tailles et de tous les formats.

Petit Gars était mince, avec une peau pâle et des yeux bleu clair. À quinze ans, c'était déjà un délinquant professionnel. Mais pour des petits délits, mesquins. Vols à l'étalage, cambriolages, braquages de voiture, même s'il avait à peine la taille suffisante pour regarder la route par-dessus le volant. On avait fini par l'envoyer à l'institution quand il avait attaqué un prof, dans un accès de fureur subite, lui plaçant un couteau sous la gorge. En entendant les histoires qui circulaient sur Petit Gars, Éric secoua la tête avec mépris.

Les attaques de Petit Gars étaient sournoises, fuyantes. Bousculades, bourrades, croche-pieds. Et manœuvres d'intimidation, bien sûr. Le tout derrière le dos des gardiens. Comme toutes les petites frappes, il avait le don de dénicher les victimes potentielles. Comme si de ses yeux émanait un rayon laser qui finissait par faire le point sur une cible.

Observant les choses à distance, comme d'habitude, Éric attendit que Petit Gars trouve sa victime. De même que les petites frappes, les victimes se trouvaient partout. Certaines tombaient sous le sens, comme si elles portaient une pancarte dans le dos qui disait: «Frappe-moi.» Éric aurait pu citer une douzaine de types parfaits pour le rôle. Il fut étonné de celui que choisit Petit Gars: Brave Gaucher, un garçon affable et insouciant qui était la star de l'équipe de base-ball de l'institution, facile à vivre, prompt à rire aux blagues, toujours détendu. La victime la moins probable de toutes parce qu'il mesurait 1,80 m et marquait un bon quatre-vingts kilos quand il montait sur la balance. Il parlait lentement, avec un accent traînant.

Visiblement, Petit Gars avait découvert une faille, une zone vulnérable dans la personnalité de Brave Gaucher parce que le joueur de base-ball au débit lent se soumit à ses ruses et à ses sales tours.

Toujours affable et facile à vivre, Brave Gaucher continua à gagner des matchs et à sourire avec modestie sous les applaudissements et les félicitations. Mais

Éric constata qu'une ombre traversait son visage quand Petit Gars s'approchait de lui et vit avec quelle docilité il encaissait moqueries et sarcasmes. « T'as l'air débile quand t'ouvres la bouche, petite tête. » Il faisait ses commissions, rapportait ses plateaux sales au comptoir à l'heure des repas. Ne disait rien quand Petit Gars lui ordonnait : « La ferme. »

Tout le monde accepta la situation sans faire de commentaires ni intervenir. On ne se mêlait pas des histoires des autres, même si elles étaient vraiment cruelles. Conserver ses distances. Ne pas se battre pour les autres. Ne pas même s'intéresser aux prisonniers, à ce qu'ils font et pourquoi ils le font.

Éric éprouvait une telle aversion pour Petit Gars qu'il fut tenté d'intervenir et de se servir de sa réputation d'assassin pour intimider la petite frappe. Mais le manque de temps lui interdisait d'entreprendre quoi que ce soit. D'après le calendrier de sa chambre, il lui restait moins d'un mois à tirer avant sa libération. Il aurait été stupide de se mêler des affaires des autres à ce moment précis.

C'est là qu'apparut la Señorita. Qui réveilla tous ses désirs et ses anciennes envies qui le faisaient souffrir.

L'institution était mixte mais les garçons et les filles n'avaient pas le droit d'entrer en contact. En théorie du moins. Ils partageaient le même réfectoire, le même gymnase et le même terrain de sport, mais jamais au même moment. Ils s'apercevaient brièvement de temps à autre et les garçons saisissaient l'occasion pour hurler des trucs aux filles, obscénités ou variations sur ce qu'ils auraient aimé faire à leurs homologues féminins, dans des termes qui faisaient frémir Éric de dégoût. Le langage grossier de l'institution le choquait. Lui n'utilisait pas ce genre de mots. Même Harvey, malgré tous ses défauts, ne jurait jamais, et sa mère se signait toujours quand on prononçait des gros mots devant elle, en particulier certains mots commençant par «en...». En prison, ces mots étaient aussi courants que le sel et le poivre à table. Éric n'avait jamais prononcé ces mots-là.

À l'institution, les détenus apprenaient à manger rapidement car les repas ne duraient que quarante-cinq minutes. Les garçons mangeaient d'abord, puis les filles. Un intervalle de quinze minutes permettait de nettoyer le réfectoire et de le préparer pour l'arrivée des filles. Éric supervisait les prisonniers qui débarrassaient les tables, les essuyaient et balayaient le sol.

Éric vit la Señorita pour la première fois à la fin de sa corvée de rangement. Il était sur le point de partir, après avoir jeté un dernier coup d'œil pour vérifier que tout était en ordre, quand la porte des filles s'ouvrit inopinément et une fille entra. Elle était grande et mince, avec de grands cheveux noirs qui tombaient en boucles sur ses épaules. Leurs yeux se rencontrèrent et se retinrent un moment. Jusqu'à ce qu'un garde intervienne :

– Eh, vous, dehors !

Elle rougit terriblement, ce qui accentua encore la beauté de sa peau mate.

– C'est mon premier jour, dit-elle en guise d'excuse avec un léger accent qui adoucissait ses paroles.

Tandis que le garde la chassait d'un geste, ses yeux cherchèrent de nouveau ceux d'Éric. Une souffrance étreignit son cœur et le désir l'envahit. Était-ce aussi du désir qu'il avait vu dans ses yeux ? Il s'aperçut que Petit

Gars, à ses côtés, ricanait: «Hé! Marchand de Glaces est amoureux!» Éric lui lança un regard noir et Petit Gars disparut. Éric réalisa alors qu'il avait dégotté un surnom, comme tout le monde: Marchand de Glaces.

Cette nuit-là, le visage de la fille apparut devant lui quand il ferma les paupières. Sa voix grave et sensuelle résonna dans ses oreilles. Même dans son terne uniforme de prisonnière, elle était d'une beauté radieuse et tranchait nettement sur les autres filles de cet endroit. Elle lui donna la nostalgie de lieux qu'il n'avait jamais connus, lui évoquant des places inondées de soleil, des cours pavées, des haciendas assoupies dans l'ombre. Elle devint pour lui la Señorita.

Il la vit de nouveau au cours des jours suivants, l'apercevant à la dérobée de sa fenêtre quand elle se rendait nonchalamment sur le terrain de sport, quand elle quittait le gymnase, toujours la dernière à partir. Il traînait dans le réfectoire, une fois le nettoyage terminé, dans l'espoir de la revoir. Une ou deux fois, elle entra mais toujours accompagnée d'un groupe de filles, même si elle en profitait pour jeter un regard dans sa direction et que leurs yeux se parlaient. Il se détournait; sur sa tempe son pouls battait à tout rompre.

Ses anciens désirs étaient revenus, plus intenses que jamais. Il tournait dans son lit, la nuit, passait de longs moments à faire les cent pas dans sa cellule. Il serait libéré bientôt. Mais elle, combien de temps allait-elle rester enfermée ici? Il espérait que ce ne serait pas long – les peines pouvaient être de quelques semaines seulement, moins encore si le détenu attendait juste de comparaître devant la justice.

Il se demanda s'il ne devrait pas essayer d'entrer en

contact avec elle. La communication entre détenus était toujours possible grâce à un système de messages laissés dans certains endroits comme le réfectoire ou le gymnase. Un fonctionnaire connu sous le nom du Distributeur récoltait et répartissait les messages. Moyennant finances, bien sûr. Les finances, c'était ce que les prisonniers pouvaient donner, de l'argent ou des cigarettes ou un échange de biens, comme des magazines porno ou des bijoux. Le Distributeur parlait vite, marchait vite, tout allait vite chez lui, surtout ses mains quand elles effectuaient les échanges. Il pouvait aussi arranger des rencontres entre prisonniers mais c'était risqué car les prix étaient si élevés que peu de prisonniers pouvaient se le permettre et les sanctions étaient sévères si l'on se faisait prendre.

Même s'il continuait à ne pas rêver, Éric se réveillait brusquement, son esprit envahi par l'image de cette fille – ses longs cheveux et sa gorge fine, menue. Ses doigts tremblaient, comme repris par un vieux mal. Il connaissait ce mal, doux et précieux, qu'il avait réduit au silence, au sommeil, pendant les trois dernières années. Pourtant, il se refusait à entrer en communication avec elle. Il avait peur de ce qui pourrait se passer, dans ce lieu même. Et ses plans à long terme tomberaient à l'eau. Patience, se dit-il, patience.

Sa patience dura trois jours. Il venait de barrer une nouvelle journée sur le calendrier, plus que neuf jours à tirer. En sortant de sa chambre, il fut stupéfait de voir Petit Gars au bout du couloir. Les prisonniers étaient autorisés à se promener dans les couloirs et les zones de détente à certains moments de la journée, mais personne ne s'approchait jamais de lui. Il rebutait les visiteurs, restait distant en permanence et rejetait les gestes d'amitié d'un regard froid et calculateur.

Petit Gars était seul près du panneau rouge indiquant la sortie, le dos tourné, la porte était à moitié ouverte et il regardait à l'extérieur, les épaules penchées en avant. Était-il en train d'épier quelqu'un ? Ou bien attendait-il un autre détenu ? Un rendez-vous secret ?

Les doigts tremblants, Éric avança avec précaution vers Petit Gars ; sur le plancher, ses baskets ne faisaient aucun bruit. Pouvait-il trouver de la tendresse avec quelqu'un d'autre qu'une fille ? Le manque qui le tenait éveillé la nuit pouvait-il être comblé d'une autre manière ? C'est fou, c'est fou, se dit-il en s'approchant de Petit Gars. Je ne le ferai pas. Mais il continuait de se rapprocher.

Éric fondit sur Petit Gars comme un chat saute sur une souris. Ses mains sur son cou, son odeur – un mélange de sueur et d'after-shave. Bien que petit et maigre, Petit Gars fit preuve d'une force étonnante, se tortillant, se débattant, se tordant et se retournant tandis que sortaient de sa gorge les bruits étranges de la vie qui résiste. Pourtant, Éric prit son temps, le laissa se débattre, exultant à ce contact, tant attendu, avec la chair.

Quand Petit Gars retomba inerte entre ses bras, Éric prit conscience de la futilité de son acte. Il n'y avait aucune intimité dans cette action, aucune tendresse. Devant le visage sans vie du garçon, il fut frappé dans toute son horreur par ce qui lui arriverait si Petit Gars mourait. Et c'est avec soulagement qu'il constata que ses paupières frémissaient un peu. Il plaça sa main sur ses yeux, sachant qu'il ne pouvait pas se permettre d'être reconnu.

Comme Petit Gars reprenait du poil de la bête et essayait de se remettre sur pied en laissant échapper un flot de gros mots qu'Éric détestait, notamment cet horrible mot commençant par «en...» qui sortait de sa bouche avec plein de postillons, Éric trouva un moyen de se sortir de la situation. «Laisse Brave Gaucher tranquille», murmura-t-il à l'oreille de Petit Gars. Il répéta ces mots afin qu'il n'y ait pas d'erreur possible. «Laisse Brave Gaucher tranquille.» Un trait de génie, se dit Éric, qui fournissait à l'attaque un motif autre que le véritable. «Compris?» demanda Éric d'une voix rauque, tendue.

Petit Gars acquiesça puis retomba sans vie dans ses bras. Éric le berça doucement. Regarda autour de lui : personne en vue. Il referma la porte. Vérifia le pouls de Petit Gars, satisfait de le sentir battre faiblement.

L'agression n'eut aucune répercussion. Tout se déroula comme d'habitude pendant les cours, au réfectoire, sur le terrain de sport et au gymnase. Éric vit la Señorita deux jours d'affilée mais elle ne regarda pas dans sa direction. Il remarqua que Petit Gars et Brave Gaucher n'entraient pas en contact et s'asseyaient à des tables différentes à l'heure des repas. À la fin du déjeuner, trois jours plus tard, il vit Petit Gars convoquer un type lent et gros qu'on appelait Le Tas à sa table. Il lui fit signe de débarrasser son plateau, ce que Le Tas accomplit avec empressement, se déplaçant rapidement malgré son poids.

Le lendemain, Brave Gaucher frôla Éric sur le chemin du réfectoire. «Je te dois une fière chandelle, Marchand de Glaces», dit-il de sa voix traînante.

«Fais gaffe.»

C'est ce qu'avait écrit Brave Gaucher dans son mot. Il lui rendait la pareille. Éric pensa aussitôt à l'inspecteur Proctor et comprit pourquoi il avait rechigné à admettre que vendredi serait le jour de sa libération. Parce qu'il avait l'intention de l'empêcher de sortir.

Éric jeta un œil au calendrier. Encore trois jours. Trois jours à traverser, en restant sur ses gardes. Il avait appris par cœur le mot de Brave Gaucher et se le remémora. Ne te laisse pas provoquer. Ce qui voulait dire que quelqu'un allait essayer. On prolongerait sa peine et on lui interdirait de sortir s'il répondait à la provocation et s'attirait des ennuis. Et si les ennuis devenaient sérieux (dans une prison, les incidents pouvaient rapidement s'intensifier) il serait transféré, le jour de ses dix-huit ans, dans une institution pour adultes. C'est-à-dire une prison d'État, perspective qui donnait froid dans le dos.

Au dîner, ce soir-là, tandis qu'il faisait la queue avec son plateau, il reçut un coup par-derrière. Un petit coup, une bourrade. Son premier instinct fut de se retourner et de rendre le coup. Mais il ne le fit pas. La poussée se réverbéra dans tout son corps, lui rappelant que presque personne ne l'avait touché depuis qu'il était à l'institution.

Comprenant qu'il s'agissait de la provocation dont Brave Gaucher avait parlé, il serra les dents, prêt à une nouvelle attaque. Il baissa les épaules, se recroquevilla et reçut un vrai coup cette fois, qui l'envoya percuter Cool

Mec, juste devant lui dans la file. Cool Mec se retourna et regarda Éric avec stupéfaction. C'était un Hispanique élégant et soigné, au rire facile, qui ne cherchait pas les ennuis.

– Alors, mec? Qu'est-ce qui se passe? T'es soûl ou quoi?

– Désolé, marmonna Éric en replaçant ses couverts sur son plateau.

– Y a pas de mal, dit Cool Mec qui haussa les épaules et se retourna.

Un nouveau coup surprit Éric par son intensité. Un pied glissé entre ses jambes l'envoya s'écraser au sol, le plateau heurta violemment le carrelage et ses couverts s'étalèrent un peu partout.

Reconnaissant à Brave Gaucher de l'avoir averti, Éric se contint et réprima son envie de se relever et de frapper son agresseur en retour. Il resta à quatre pattes, récupéra son couteau et sa fourchette, la cuillère, elle, ayant disparu. À cet instant, un violent coup sur le dos lui fit subir une nouvelle humiliation, l'étalant à plat ventre; une douleur aiguë parcourut son corps. Il ferma les yeux à cause de la douleur et sentit que les gars qui l'entouraient s'éloignaient pour ne pas être mêlés à ça. De nouveau à genoux, il finit par lever les yeux sur son assaillant. C'était un nouveau type, quelqu'un qu'il n'avait jamais vu, avec un rictus aux lèvres et de gros yeux exorbités.

– Qu'est-ce qu'il se passe, ici?

C'était la voix de Dungan, un vieux gardien qui avait conservé quelque chose de son accent irlandais.

Éric leva les yeux.

– J'ai glissé, je suis tombé, marmonna-t-il.

Un doute traversa le visage de Dungan. Il plissa les yeux et regarda Éric puis l'Exorbité, puis encore Éric.

– Fais attention, alors, lui dit-il.

Puis, à l'Exorbité :

– Je veux pas de ça ici, compris ?

Quand Éric se retrouva debout, ses yeux rencontrèrent ceux de son agresseur. Ils ne laissèrent rien paraître. Son visage était vide, dénué de haine, d'antipathie, de tout. Le visage d'un tueur à gages.

Éric replaça les couverts sur son plateau, les tempes frémissant de colère. Il n'en voulait pas vraiment à l'Exorbité, mais à l'inspecteur Proctor, qui était forcément à l'origine de l'agression. L'Exorbité n'était qu'un pantin. Dungan avait mis un terme à son attaque, ce qui signifiait que les gardiens ne faisaient pas partie du complot. Éric en fut soulagé. Il pouvait s'arranger des autres prisonniers, même d'une brute comme l'Exorbité, mais n'était pas à l'abri des gardiens.

Tout en mangeant son dîner, seul comme à l'accoutumée, absorbant sa nourriture sans saveur, il se demanda quand aurait lieu la tentative suivante.

Une fois encore, Brave Gaucher vint à sa rescousse.

Il entendit frapper à la porte de sa chambre juste avant l'extinction des feux. Il sauta hors du lit, s'apercevant soudain combien il était tendu, plaça son oreille contre la porte et entendit une voix étouffée :

– C'est Brave Gaucher.

Il fit tourner la poignée et entrouvrit la porte, inquiet. Pouvait-il vraiment lui faire confiance ?

– Demain, à l'heure du déjeuner, bagarre au réfectoire. Tiens-toi à l'écart…

Éric attendait d'autres détails mais il n'y eut qu'un

silence, suivi du bruit des pas de Brave Gaucher qui s'éloignait.

Il comprit qu'il était bien obligé de lui faire confiance. Apparemment, celui-ci se sentait toujours redevable.

Plus tard, allongé dans son lit, dans le noir, il sentit l'excitation monter dans ses veines et son esprit prendre feu. Comment se tenir à l'écart d'une bagarre ? Les jours et les nuits passés dans cette institution n'avaient été qu'une longue succession de gestes quotidiens qui exigeaient peu de lui sur le plan mental ou physique. Maintenant qu'un problème était apparu, son esprit se remettait en marche, examinait, analysait. Grisé, il se représenta le réfectoire en faisant appel à des images tirées de vieux films de prison. Les tables renversées, les prisonniers qui se battent entre eux, les assiettes qui volent, les gardiens qui accourent. Et puis le cachot, les punitions. Comment éviter tout cela ? Ses pensées étaient comme de petites aiguilles qui le tenaient éveillé, des aiguilles agréables, comme si son esprit venait de sortir d'un long sommeil.

Le lendemain matin, à dix heures, pendant le cours de sciences sociales, Éric s'approcha du bureau de l'éducateur.

— Je voudrais l'autorisation d'aller à l'infirmerie, dit-il à cet homme qui avait toujours une pipe au bec et portait des vestes de tweed comme s'il enseignait dans une université prestigieuse.

— Ça ne va pas, Poole ? demanda-t-il de sa voix grave et vibrante de professeur.

— J'ai passé la moitié de la nuit à vomir et j'ai la diarrhée.

L'éducateur remplit une feuille d'autorisation.

– Vous avez intérêt à vous soigner. Ce serait dommage d'être malade vendredi, le jour de votre libération.

L'infirmerie était tenue par un certain Dunstan qui s'occupait des cas de tous les jours. On faisait appel à des médecins pour les maladies plus sérieuses ou les accidents. Dunstan aimait bien faire le docteur, avec son stéthoscope autour du cou. Il prit la température d'Éric en fredonnant gaiement et vérifia sa tension. «Tout va bien», annonça-t-il. Il écouta avec attention les symptômes du patient.

– Ne vous fatiguez pas trop aujourd'hui. Avec quelques cachets, ça devrait faire l'affaire.

En se relevant, Éric fit mine de tituber et s'appuya au mur. Dunstan s'inquiéta :

– Qu'est-ce qui se passe ?

– J'ai la tête qui tourne.

Dunstan l'examina attentivement.

– Vous devriez peut-être vous allonger un peu. De toute façon, vous ne devez pas avoir faim. Restez un peu ici. Je vais m'occuper de vous…

Formidable, se dit Éric en se dirigeant d'un pas hésitant vers le lit de camp situé près de la fenêtre.

– Vous devez être déshydraté, ajouta Dunstan. Je vous apporte un verre d'eau.

Éric s'allongea avec précaution sur le lit de camp, en exagérant ses gestes mais attentif à ne pas en faire trop, à maintenir un équilibre subtil.

– Si vous avez besoin de quoi que ce soit, n'hésitez pas à m'appeler, déclara Dunstan de son ton le plus professionnel en lui tendant le verre.

Éric s'abandonna avec délice à la détente. Il savait que si la journée se déroulait sans incident, il aurait déjoué le plan du vieux flic. Demain, les formalités du départ, les interrogatoires de sortie, les centaines de papiers à remplir, toute cette activité se déroulerait sous le regard des gardiens et des responsables de la prison. Le vieux serait fou de tenter quoi que ce soit le dernier jour.

Les yeux mi-clos, Éric surveillait la grosse pendule accrochée au mur, attentif aux progrès de la grande aiguille. Deux autres prisonniers vinrent se faire soigner. Éric les ignora en ayant recours à sa vieille méthode pour s'extraire de son environnement, s'isoler de tout. Sauf de l'horloge.

Elle marqua midi et Éric se redressa sur un coude, le souffle court. Une minute, deux minutes passèrent.

Au moment où Dunstan lui apportait un nouveau verre d'eau, les sirènes se mirent à retentir d'un hurlement frénétique qui fit trébucher l'infirmier et lui fit renverser son verre. On aurait dit que le sol tremblait, que les bouteilles s'entrechoquaient sur les étagères.

Encore raté, inspecteur, pensa Éric en se recouchant dans le lit tandis que les sirènes poursuivaient leur symphonie délirante. Il tourna le dos à Dunstan pour dissimuler un sourire de triomphe sur son visage.

Ce soir-là, après le dîner, le Distributeur lui tendit un mot. Toujours sur ses gardes, Éric lui lança un regard interrogateur :

– De la part de qui?

– Je ne sais pas, dit le Distributeur. C'était à l'endroit habituel. Je ramasse toujours ce qui y a été déposé.

Il parlait vite, comme d'habitude. Son visage sévère s'adoucit.

– Tu me dois rien. Cadeau d'adieu…

Éric remercia d'un signe de tête, un peu troublé car il n'avait pas l'habitude d'accepter les faveurs qui ne lui étaient pas dues.

Dans sa chambre, il déplia le mot. Écriture délicate, encre bleue, papier légèrement parfumé. Il disait simplement :

*«J'ai vu que tu me regardais. Moi aussi, je t'ai regardé. Je m'appelle Maria Valdez. J'habite Barton et je sors bientôt. Appelle-moi. Je t'attends.»*

Suivait son numéro de téléphone.

Il passa son nez sur l'enveloppe et inhala l'odeur délicate qu'il ne parvenait pas à identifier. Délicieusement féminine, en tout cas. Il appuya ses lèvres sur le papier, en quête de tendresse. Ses cheveux bruns et son long cou lui revinrent à l'esprit.

Bien que conscient des risques qu'il courait en conservant quelque chose qui pourrait un jour se transformer en preuve, il ne parvint pas à jeter le mot. Il le plia aussi petit que possible et le rangea dans son portefeuille.

Devant la fenêtre, il étira les bras, redressa la tête, cambra le dos. Dans vingt-quatre heures, il serait libre.

Libre. De suivre son destin. De toutes les poursuivre.

Voici pourquoi j'ai bloqué sur le visage et les yeux d'Éric Poole quand je les ai vus à la télé.

Deux jours après mon douzième anniversaire, j'errais aussi seule qu'un nuage, comme dans le poème* qu'on a lu en cours d'anglais, au bord de la voie de chemin de fer en repensant à mon anniversaire et au fait que ma mère était rentrée tard parce qu'elle s'était branchée avec un mec dans un bar et qu'elle avait trop bu et qu'elle avait oublié d'acheter un gâteau.

Et puis je me suis dit: Laisse tomber. Un gâteau d'anniversaire, ça ne compte plus. T'es plus une enfant, presque une ado maintenant. Les gâteaux, c'est trop sucré de toute façon et je commençais à me lasser des trucs sucrés, ces derniers temps j'aimais mieux le fromage, les cacahuètes et les chips que le chocolat, un grand changement. Donc, à douze ans, j'aurais pas dû être triste de ne pas avoir eu de gâteau et pour le cadeau, ma mère s'en souviendrait un jour, elle aurait honte et plein de remords et elle m'achèterait un truc spectaculaire le jour de sa paye.

Cet été-là, on habitait dans une petite ville de l'État de New York, et je m'étais fait aucun ami parce que ma mère disait que son boulot au restaurant de la plage n'allait pas durer et qu'on redéménagerait bientôt. Je marchais sur les rails en essayant de garder mon équi-

* Il s'agit de *Daffodils*, ou «Les jonquilles», un poème de William Wordsworth daté de 1804.

libre quand j'ai relevé la tête, et là j'ai vu un garçon et une fille qui avançaient le long de la voie de chemin de fer, devant moi. Ils se tenaient par la main. Ils se sont arrêtés et il l'a embrassée en la prenant dans ses bras. Et puis ils ont disparu dans les bois.

J'ai suivi les rails jusqu'en ville et j'ai passé le temps en me baladant dans un coin plein de boutiques à prix cassés et de magasins d'articles de pêche. Sur le chemin du retour, je me suis arrêtée devant une cabane abandonnée, le long de la voie, et soudain il était là, le type que j'avais vu avec la fille, et il me regardait, une main dans la poche et l'autre en train de peigner ses cheveux.

Il était bien habillé, pas débraillé comme les autres avec leurs habits trop grands. J'ai continué à marcher sur le rail en m'approchant de lui et il a souri, comme s'il admirait ma façon de garder l'équilibre. C'est idiot de croire ça, bien sûr, mais j'adorais son sourire, on aurait dit qu'il faisait danser ses yeux. Ses yeux qui étaient bleus comme la surface d'une mare quand le soleil brille dessus.

— Salut, il a dit d'un ton insouciant, comme s'il jetait ce mot.

J'ai pas répondu mais je lui ai souri, mon sourire était assorti au sien comme si tout d'un coup on était liés.

— Comment vous appelez-vous, mademoiselle?

Mademoiselle. Pas Petite.

— Lori.

— C'est un joli nom.

Maintenant, il avait une drôle d'expression, et il m'examinait comme s'il voulait apprendre mes traits par cœur.

— Tu as quel âge, Lori?

— Douze ans. Il y a deux jours, j'en avais onze.

— Bon anniversaire.

Il souriait toujours mais maintenant ses yeux m'inspectaient de haut en bas.

— Tu as eu beaucoup de cadeaux? il a demandé, comme si ça ne l'intéressait pas vraiment mais qu'il voulait être poli.

— Plein de trucs, j'ai dit. Ma mère est une cinglée des anniversaires. Elle fait toujours des folies. J'ai eu un gros gâteau avec plein de bougies. Une année, elle a embauché un clown pour ma fête, une autre fois on est allées chez McDo avec tous les enfants du quartier.

Je parlais vite parce que je mentais, évidemment. Et si vous allez vite, c'est plus facile de mentir. Et j'ai toujours bien aimé mentir parce qu'on peut laisser aller son imagination et on est pas obligé de s'en tenir à ce qui est vraiment arrivé.

Son sourire a changé, il est devenu plus doux, avec un peu de tristesse dedans.

— Tu n'as rien eu, alors? Même pas un gâteau?

Sa voix était douce, tendre. À ce moment-là, j'ai pensé: il me connaît, il peut lire dans mon âme, et c'était comme si on était amis depuis très longtemps.

— J'en veux pas de gâteau, de toute façon. C'est pour les gosses. Avant, j'aimais ça, mais plus maintenant. Je donnerais tous les gâteaux du monde pour un paquet de cacahuètes.

Il a continué à me regarder.

— Ma mère est très gentille, j'ai dit. Elle m'aime beaucoup. C'est juste qu'elle oublie les trucs, de temps en temps.

Il a secoué les épaules et une boucle de cheveux blonds est retombée sur son front. Il l'a remise en place de ses beaux doigts longs.

– Tu ne devrais pas traîner par ici toute seule, il a dit. Qu'est-ce que tu fais ici, d'abord?

Comme s'il était énervé tout d'un coup par ma présence.

– C'est un raccourci.

J'avais envie de lui dire que j'errais aussi seule qu'un nuage, je pensais qu'il comprendrait. Mais en fait j'ai dit:

– Et toi, qu'est-ce que tu fais ici?

J'allais lui parler de la fille quand un ronflement de motos a retenti dans les airs et s'est dirigé vers nous comme pour nous attaquer, avec plein de poussière qui volait et des bruits de freins qui grinçaient.

Cinq ou six motos sont arrivées et nous ont entourés, les motards avaient des blousons de cuir noir cloutés, et des lunettes noires qui cachaient leurs yeux.

– Eh, Petite, m'a crié celui qui avait des cheveux roux hirsutes qui sortaient de son casque.

Maintenant les moteurs ronronnaient, ils avaient incliné leurs motos et posé pied à terre, la poussière retombait et les motos ressemblaient à des chevaux mécaniques prêts à partir au galop.

Un motard qui avait un serpent tatoué sur le bras a lâché son guidon et a voulu m'attraper avec son gant noir aux jointures en métal.

– Laisse-la tranquille, a dit le type.

Les motards se sont tournés vers lui. Ils étaient bien plus nombreux et lui avait l'air frêle et vulnérable, là, tout seul, mais ses yeux étaient durs et ils ne brillaient plus, ils scintillaient, et il avait le menton crispé et les dents serrées.

Celui avec les cheveux hirsutes a plissé les yeux et a craché un truc marron et juteux sur le sol.

— On déconnait, il a dit. On a mieux à faire...

Il a levé la main et fait signe aux autres, puis il a appuyé fort sur la pédale, la moto s'est cabrée sous lui et la roue avant a sauté en l'air. «On y va», il a beuglé d'une voix rauque, éraillée, mais qu'on entendait bien par-dessus le grondement des moteurs.

La poussière a encore volé, comme si une bombe avait explosé, les moteurs ont vrombi, on a entendu des cris de guerre et des glapissements et puis ils sont partis dans la poussière, les cris et les hurlements.

Quand la poussière est retombée, je me suis mise à tousser parce que ma gorge était sèche et me faisait mal. Je l'ai regardé à travers toute cette poussière, on aurait dit une brume marron, et j'ai eu envie de lui dire qu'il avait été très courageux. Galant, même. J'adore le mot «galant», c'est un truc vieillot qu'on ne voit que dans les livres.

— Il vaut mieux y aller, Lori, il m'a dit. Avant qu'il n'arrive autre chose.

Ses paroles, son ton de voix m'ont interrompue et je n'ai pas bougé. Sans doute que je ne pouvais pas. Parce que ses yeux ne dansaient plus et que la douceur, la tristesse étaient revenues.

— Qu'est-ce qu'il peut arriver d'autre, j'ai demandé, en voulant ajouter: «Avec toi je ne crains rien. Rien ne peut m'arriver.»

— Vas-y, il a dit comme s'il me renvoyait, comme si je ne l'intéressais plus, comme si j'étais un vieux Kleenex.

Il s'est retourné et a fait craquer ses doigts qui se sont mis à frapper contre ses cuisses, comme s'ils ne lui appartenaient pas, qu'il ne pouvait pas les contrôler.

— Tu ne devrais pas te promener toute seule dans les bois, presque pour me gronder, en jetant un œil par-dessus son épaule.

J'ai commencé à m'éloigner, je me sentais plus seule que jamais, plus seule qu'un nuage, même, comme si j'avais perdu un truc important que je ne retrouverais plus jamais.

Après quelques pas je me suis retournée mais il avait disparu et l'endroit où il se trouvait était maintenant désert et triste.

J'ai couru jusqu'à la maison, comme le petit cochon de la chanson*, sans faire ouin-ouin-ouin mais il y avait quand même de grosses larmes qui coulaient sur mes joues.

Maintenant, les yeux d'Éric Poole à la télé m'ont attrapée, m'ont piégée et je sais que je dois rester à Wickburg pour le retrouver et mettre fin à cette nouvelle obsession, comme j'ai mis fin à celle de Throb.

En me rappelant cette journée près de la voie de chemin de fer, je sais que cette obsession représente davantage, comme si nous avions créé un lien détruit par l'arrivée des motards et que nous devions nous rencontrer à nouveau. Il avait été si galant de me protéger contre les motards ce jour-là, un vrai chevalier sans armure.

Je ferme la porte du diner en laissant derrière moi l'odeur de graillon, les néons agressifs et les gloussements des filles et je m'engage dans les rues de Wickburg.

* Comptine traditionnelle du *Livre de ma mère l'Oye* :
« Un petit cochon est allé au marché/Un petit cochon est resté à la maison/Un petit cochon a mangé du rôti/Un petit cochon n'en a pas eu/Jusqu'à la maison il a couru/En faisant ouin-ouin-ouin. »

Ici, j'ai l'impression d'être chez moi parce que ma mère et moi y avons habité presque trois ans, c'est la période la plus longue que j'aie passée au même endroit.

On habitait au troisième étage du gros paquebot qui domine toute la ville. J'avais pas vraiment d'amis mais une bande de filles et de garçons plus vieux me laissaient les suivre à condition que je ne les colle pas et que je me taise. Si ma présence ne les gênait pas, c'est parce qu'ils m'envoyaient dans les magasins piquer des trucs pour eux. Je piquais facilement des trucs parce que j'avais un air doux et innocent, disait Rory Adams. Rory était le chef de la bande. Il était grand et beau.

Il disait qu'il fallait que j'aille à Hollywood pour faire l'actrice et devenir la nouvelle Marilyn Monroe. La bande, c'était comme une famille et Rory presque notre père à tous. Une petite nana dodue qui s'appelait Crystal l'adorait et était prête à faire tout ce qu'il disait. Bantam, une espèce d'avorton qui faisait semblant d'être un dur, se prenait pour le garde du corps de Rory et marchait toujours devant nous en reconnaissance, il nous ouvrait la voie.

En tout cas, Rory et la bande m'ont appris la vie de la rue, les endroits sûrs et les endroits craignos, comment forcer la serrure des voitures, ils m'ont montré la fameuse sortie dérobée pour les stars qui vont jouer au palais des Congrès et m'ont parlé de la Maison de l'harmonie. C'est là où je vais maintenant, et j'arpente les rues de Wickburg gagnées par l'obscurité, tandis que le soleil disparaît derrière la ligne irrégulière des toits de la ville.

La Maison de l'harmonie est un endroit où atterrissent les adolescentes enceintes quand elles n'ont pas d'autre endroit où aller. Ils vous crient pas dessus et vous font pas la leçon. En fait, ils vous traitent comme quelqu'un d'un peu spécial. J'ai entendu parler de ça quand Crystal est tombée enceinte et que son père l'a mise à la porte parce qu'il a compris qu'il ne pouvait plus la tabasser dans l'état où elle était. Après avoir accouché et donné l'enfant à adopter – elle ne nous a jamais dit si c'était un garçon ou une fille – elle nous a raconté la façon merveilleuse dont on s'est occupé d'elle à la Maison de l'harmonie. Moi, j'étais assise en marge de la bande et je pensais à ce bébé et à Crystal et je me jurais que j'abandonnerais jamais mon bébé si j'en avais un. Et aussi, j'avais de la peine pour Crystal. On avait toujours l'impression qu'elle avait peur de prendre des coups quand elle faisait une connerie, comme flirter avec le nouveau jeune flic du coin de la rue, ce qui avait attiré son attention sur toute la bande. Mais Rory ne la tapait jamais fort, juste une claque ou deux.

Je me dirige vers la Maison de l'harmonie et je me dépêche pour arriver avant la nuit qui tombe. J'ai assez d'argent pour passer la nuit dans l'un des motels du bas de la ville mais je ne veux pas dépenser mes sous inutilement et en plus ces motels sont minables et délabrés. Les endroits comme le Mariott et le Sheraton, c'est même pas la peine d'y penser parce que je n'ai pas de valise et que je n'ai pas du tout l'air d'une femme d'affaires. J'ai l'air de ce que je suis : une fugueuse.

Je peux facilement me faire passer pour une fille enceinte une nuit ou deux à la Maison de l'harmonie. Il n'y aura pas d'examens avant quelques jours et d'ici là je peux me tirer vite fait avant que ça n'arrive.

Une femme ouvre la porte une minute ou deux après que j'ai sonné. Elle a des cheveux gris comme une grand-mère avec un visage jeune et doux et c'est difficile de deviner son âge.

– Bienvenue à la Maison de l'harmonie, elle dit.

Tout en m'emmenant dans son bureau à côté de l'entrée, elle me dit qu'elle s'appelle Phyllis Kentall et que je peux l'appeler Phyllis, toutes les filles le font. Elle s'assoit à son bureau et écrit mon nom et mon adresse, que j'invente bien sûr. Je prends toujours le nom de Brittany Allison quand je voyage comme ça et j'ai même une carte à ce nom-là, le genre de carte offerte quand on achète un portefeuille. Elle me sourit et ses dents sont blanches et brillantes, comme son collier de perles.

– Tu as l'air d'avoir chaud et d'être fatiguée, Brittany, elle dit en refermant son cahier. Je vais te montrer ta chambre, tu pourras te baigner (quel joli mot, si apaisant!) et ensuite tu pourras rejoindre les autres filles dans la salle de télévision.

Elle touche mon coude en sortant du bureau et tapote mes épaules avant de me laisser à la porte de ma chambre. En me tendant les clés, elle me prévient:

– Ferme toujours ta chambre à clé. Les filles qui sont ici sont très gentilles mais mieux vaut prévenir que guérir.

La chambre est simple et propre, avec des stores vénitiens aux fenêtres, un couvre-lit blanc et pas de tapis. Je remplis la baignoire et me plonge dans l'eau tiède en repensant à cette longue journée, depuis mon aventure avec Walter Clayton jusqu'à ce terrible baiser avec Throb et je me dis qu'il faut que je trouve une enveloppe pour renvoyer ses cartes de crédit et son permis à M. Clayton. Une fois au lit, je m'endors tellement vite qu'on dirait que quelqu'un a éteint les lumières dans ma tête.

Le lendemain, personne ne vient me réveiller et je dors jusqu'à dix heures, presque. En bas, dans la cuisine, une femme gentille et potelée me dit qu'elle s'appelle Mme Hornsby et me prépare un verre de lait et un bol de Special K. Je préfère le café et les pâtisseries au petit-déjeuner mais je la remercie quand même. Elle fredonne en travaillant, mais elle n'a pas du tout l'air à sa place. La cuisine est tout en verre et en acier et Mme Hornsby porte un tablier jaune avec des marguerites et s'affaire comme si elle était mère de famille nombreuse et pas cuisinière pour adolescentes enceintes.

Ensuite, je vais visiter la grande salle à manger et je rencontre trois filles à des stades divers de grossesse. Chantelle, Tiffany et Debbie. Chantelle a un ventre énorme, elle est assise, les jambes écartées, et son visage, de la couleur du piano d'acajou installé dans le coin de la pièce, est moite de sueur quand elle me tend la main pour me dire bonjour, comme si tout était un effort. Tiffany n'a pas l'air enceinte : elle est menue et foncée, ses traits délicats me font penser aux figurines en porcelaine des magasins de cadeaux et je me demande si elle aussi elle fait semblant. Ses yeux m'étudient avec froideur – est-ce qu'elle a compris que je pipotais ? Debbie est tellement énorme qu'elle doit toujours avoir l'air enceinte et son sourire est large comme une porte cochère.

Elles regardent un vieil épisode de *I Love Lucy* à la télévision et se replongent dedans dès les présentations terminées. Mme Kentall nous rejoint et à la fin de l'émission, elle me fait signe de la suivre dans son bureau. Elle s'assied, me regarde l'espace de quelques battements de cœur, puis elle dit:

– Tu n'es pas enceinte, n'est-ce pas, Brittany? Je le sens, tu sais. Une fille enceinte a quelque chose de particulier. Tu as l'air très gentille, mais sûrement pas enceinte.

– C'est vrai, je dis, les joues en feu.

– Et tu ne t'appelles pas Brittany non plus?

Je hoche la tête. Il y a un temps pour mentir et un temps pour dire la vérité, et Mme Kentall est trop maligne et trop sage pour que je continue à faire semblant.

– Tu as fugué, c'est ça?

Je laisse le silence répondre à ma place.

– Comment t'appelles-tu?

– Lori.

Je ne lui donne pas mon nom de famille parce que je veux rester anonyme, c'est le seul moyen de garder ma liberté, même à la Maison de l'harmonie.

– Quel âge as-tu, Lori?

– Quinze ans.

– Pourquoi es-tu partie de chez toi?

Avant que je puisse répondre, elle ajoute:

– Est-ce que tu étais victime de violences?

Elle a une voix douce et je comprends qu'elle essaie de m'aider à raconter mon histoire.

Alors je lui parle de ma mère et de Gary, qui est un brave type, gentil avec ma mère, mais qu'il m'a touché les seins, très tendrement quand même, et je lui dis que j'ai peur qu'il se passe quelque chose qui fasse du mal à ma mère et qui gâche tout.

– Ta mère doit être inquiète.

– Je lui ai laissé un mot. Elle croit que je suis chez des amis, ici, à Wickburg. On habitait ici, dans le temps.

– Est-ce que tu l'as appelée depuis ton arrivée?

Je secoue la tête.

– Tu ne crois pas que tu devrais? Pour lui dire que tout va bien?

– J'allais bientôt l'appeler.

C'est un peu un mensonge: j'avais l'intention de l'appeler tôt ou tard mais plutôt tard que tôt.

– Écoute, Lori. Si tu appelles ta mère, je peux te garder ici quelques jours. J'ai besoin de quelqu'un pour aider à faire les lits, la poussière, le ménage et donner un coup de main à Mme Hornsby à la cuisine. Les filles enceintes ne sont pas censées aider. Je ne peux payer qu'un salaire minimum mais tu auras un endroit où dormir et manger.

«Merci», je réponds, en espérant que ma voix exprime ma reconnaissance. Je suis contente de pouvoir rester à la Maison de l'harmonie. Je peux m'y poser, le temps de me livrer à ma nouvelle obsession.

## DEUXIÈME PARTIE

Comme d'habitude, Éric Poole s'éveilla d'un seul coup, comme si son esprit en sommeil attendait ce moment avec impatience. Il était allongé dans le lit, les bras le long du corps, dans la position où il s'était endormi.

Il sentit aussitôt que quelque chose n'allait pas. Pas que ça n'allait pas, mais que c'était différent. Le soleil entrait dans la chambre par la gauche et non par la droite. Des rideaux blancs à frous-frous avaient remplacé les stores vénitiens beiges de l'institution. Au mur, des peintures : scènes estivales et hivernales du type de celles qu'on trouve dans les calendriers.

L'air était imprégné d'odeurs, un délicat parfum de femme, peut-être une odeur de savon, l'arôme envahissant du café en train de passer et de quelque chose qui cuisait dans le four, des muffins au maïs, peut-être, comme ceux que Tante Phoebe lui préparait quand, petit, il venait lui rendre visite.

Les odeurs, les rideaux blancs, les tableaux aux murs constituaient un tel contraste par rapport à sa pièce nue et aseptisée de l'institution qu'il fut presque pris de vertige en s'asseyant sur le bord du lit.

Assis dans la cuisine, il se régala avec les muffins au maïs trempés de beurre fondu. Sucre et lait dans le café, c'était presque trop sucré après l'acide café noir des trois dernières années.

Tante Phoebe s'affairait près de la table avec son joli petit tablier blanc bordé de dentelles. Il se concentra sur la nourriture, conscient d'être observé, contrairement à la prison où il s'était senti invisible la plupart du temps.

– Je suis si contente que tu sois là, Éric, dit Tante Phoebe en lui reservant du café.

Soit c'était une très bonne comédienne, soit elle était vraiment heureuse de sa présence. Peu lui importait. Sa maison lui permettrait de passer le temps et de se préparer à ce qui allait suivre.

La veille, après le dîner, ils avaient regardé la télévision tous les deux. Aux informations, on montra la scène qui s'était déroulée plus tôt ce jour-là quand il avait quitté l'institution, avec la foule des gens venus le voir partir, suivie d'un plan de la maison dans laquelle ils étaient actuellement assis. Bizarre, se dit-il, de regarder la télé qui elle aussi vous regarde assis sur le canapé. La voix du commentateur disait: «Nous avons essayé de parler à Phoebe Barns, la tante chez qui Éric Poole va s'installer, mais elle a refusé de révéler ce que ça lui faisait d'avoir un ass...» Tante Phoebe voulut attraper la télécommande mais elle ne savait plus où elle l'avait posée et le temps qu'elle la trouve, cela faisait longtemps que le mot «assassin» avait résonné dans tout le salon.

– Je suis désolée, Éric, dit-elle devant l'écran devenu noir.

– Tu n'as pas à être désolée, Tante Phoebe. Et tu n'as rien à craindre. Je ne te ferai jamais de mal. Tu n'auras pas à regretter de m'avoir accueilli, dit Éric en essayant de ne pas repenser à Rudy, le canari.

Éric savait qu'il ne ferait pas de mal à Tante Phoebe. D'abord, cet acte ne lui apporterait aucune tendresse. Ensuite, il signerait lui-même sa perte s'il faisait une chose pareille. En sortant de prison, la veille, il avait repéré le vieil inspecteur dans le renfoncement d'une porte, de l'autre côté de la rue, figure solitaire isolée de tout le reste – les équipes de télé, les grappes de gens venus applaudir ou condamner sa libération. Il comprit aussitôt qu'il lui faudrait faire preuve d'une prudence extrême, attendre son heure, avoir de la patience. Mais il savait aussi que l'inspecteur ne pourrait pas le suivre toujours. D'autres cas viendraient retenir son attention. Comme pour tous ces gens qui se fatigueraient de s'occuper de ses affaires après un moment et qui retourneraient à leurs petites vies mesquines. Une autre affaire surviendrait. Une explosion avec plein de victimes innocentes, des enfants de préférence, ou l'assassinat d'une figure politique adulée détournerait tôt ou tard l'attention du public et il serait alors libre de faire ce qu'il avait à faire.

En attendant, la débauche d'activité causée par sa libération l'amusait secrètement tandis qu'il détournait la tête pour éviter les caméras de télévision et traversait la rue en ignorant les questions qu'on lui hurlait. Il ne prêta aucune attention aux cris de la foule et regarda d'un œil morne toutes les pancartes – «Éric, on est avec toi», «Crève, assassin!» – même si leur ton familier l'énervait. Il détestait que les gens qu'il ne connaissait pas le tutoient.

Une voiture noire, louée par Tante Phoebe, l'attendait ; un chauffeur, vêtu d'un costume noir, lui ouvrit la porte et la foule se recula pour lui laisser la place, résignée à ne pas l'entendre parler. Une adolescente avec une marguerite tatouée au-dessus de l'œil se jeta sur lui et l'embrassa sur la joue, lui faisant perdre l'équilibre. Son parfum trop fort l'écœura. « Éric, je t'aime », hurla-t-elle tandis que les gardiens l'éloignaient, et Éric essuya la trace humide sur sa joue, soulagé de constater qu'elle ne portait pas de rouge à lèvres et n'avait pas laissé de marque sur lui. Avant d'entrer dans la voiture, il s'arrêta et regarda la foule, prêt pour cet instant qu'il avait attendu si longtemps. La foule se tut et les bousculades cessèrent. Il jeta un regard autour de lui, savourant ce moment, l'éclat du soleil sur les vitres, la douceur de l'air qu'il respirait. Puis il sourit, de son sourire triste, mélancolique qu'il avait répété devant la glace, le sourire de petit garçon qui plus tard, il le savait, apparaîtrait sur les écrans de télévision et à la une des journaux. Un sourire destiné à tous les idiots de ce monde prêts à s'éprendre des assassins. Puis il se glissa sur le siège arrière de la voiture.

Quand le chauffeur eut fermé la portière, Éric ne put s'empêcher de jeter un œil de l'autre côté de la rue. L'inspecteur était toujours là, si vieux, si frêle qu'on aurait dit qu'un souffle de vent pouvait l'emporter. Éric lui adressa un salut de triomphe, bref et net, et s'enfonça dans les coussins tandis que le chauffeur démarrait.

Maintenant, chez Tante Phoebe, il termina son petit-déjeuner et avala la dernière goutte de son café sucré en s'apercevant, un peu déçu, qu'il s'était habitué à la potion amère de la prison. Il regarda sa tante, qu'il voyait pour la première fois, vraiment, depuis son enfance. Elle était grande et mince, toute en angles et en arêtes: mâchoires, pommettes et nez. Mais ses yeux étaient d'un bleu doux et léger et paraissaient toujours comme éblouis de lumière, au bord des larmes.

Elle ne s'était jamais mariée, portait des robes sophistiquées et des talons hauts, même pour aller travailler chez Essex Plastics où elle supervisait toute la chaîne de montage. Elle allait chez le coiffeur tous les vendredis après-midi. Du rouge à lèvres vif, appliqué abondamment, camouflait ses lèvres minces. Elle portait des talons hauts même pour faire le ménage et ils résonnèrent sur le plancher quand elle traversa le salon pour se rendre à la fenêtre.

– Ils sont revenus, lança-t-elle à Éric.

Il la rejoignit à la fenêtre en prenant garde à ne pas se montrer. Trois camionnettes marquées aux logos de chaînes de télévision étaient garées de l'autre côté de la rue. Une trentaine de personnes, jeunes et vieux, étaient massées sur le trottoir avec toujours les mêmes pancartes. Certaines fixaient la maison d'un air sinistre, le regard morne et plein de ressentiment. D'autres arboraient une expression empressée, souriaient et faisaient des signes de la main, probablement dans l'espoir qu'Éric se trouve à la fenêtre.

Un homme chauve vêtu d'un tee-shirt blanc et d'un jean sortit d'une camionnette de télévision et pointa une caméra vidéo sur la fenêtre où Éric et Tante Phoebe se trouvaient. Désireux d'échapper au zoom, Éric se retira et entraîna sa tante avec lui.

– Qu'est-ce qu'ils fabriquent, tous ceux-là? demanda Tante Phoebe. Ils n'ont rien de mieux à faire?

– Ils vont finir par s'en aller, répondit Éric.

*Et moi aussi.*

– Viens avec moi, dit-elle en l'emmenant dans le bureau.

Ils s'assirent face à face devant le petit coffre posé sur la table basse. Elle l'ouvrit, en sortit un livret bancaire bleu qu'elle lui tendit.

– J'ai déposé l'argent de l'assurance à la banque. Comme tu le sais, j'ai été nommée exécuteur testamentaire ainsi que curatrice. L'argent est à nos deux noms mais tu en feras ce que tu voudras. Il y a un peu plus de quinze mille dollars.

Il n'en fut pas surpris. Il avait découvert les assurances-vie quelques semaines avant d'éliminer Harvey et sa mère.

Elle lui tendit aussi trois certificats d'allure officielle :

– Harvey et ta mère avaient des économies. J'ai placé l'argent sur des comptes bloqués, en faisant en sorte qu'ils arrivent à terme quand tu serais libéré de cet horrible endroit. Il y a trois comptes, qui représentent chacun un peu plus de trois mille dollars.

– Merci, Tante Phoebe, dit-il. Mais je veux qu'on partage cet argent.

Sachant pertinemment qu'elle refuserait.

– Ne dis donc pas de bêtises, répondit-elle comme prévu. J'ai plus qu'il ne m'en faut. Je gagne royalement ma vie et je me prépare une bonne retraite pour quand je serai vieille. Cet argent est à toi afin que tu puisses prendre un bon départ dans ta nouvelle vie.

Elle eut l'air d'hésiter, pinça ses lèvres maigres, détourna les yeux puis les reposa sur Éric.

Il savait à quoi s'attendre.

– Et qu'est-ce que tu comptes faire dans cette nouvelle vie, Éric ?

Il avait tout prévu.

– J'aimerais rester ici une semaine ou deux, le temps de passer mon permis de conduire. J'ai pris des leçons en prison. Je veux acheter un van et partir en camping cet été. Je me suis renseigné sur les universités et j'espère pouvoir m'y inscrire à l'automne. Soit à Boston, soit à Worcester. Enfin, quelque part dans le Massachusetts. Je veux faire quelque chose de ma vie.

Il sourit, en espérant que le Charme et son sourire timide ajouteraient une touche de sincérité au petit discours qu'il avait soigneusement préparé.

– C'est très bien, Éric. C'est bien d'avoir de l'ambition. Et tu peux rester chez moi aussi longtemps que tu veux.

Dans sa voix, un soulagement perceptible, maintenant qu'elle savait qu'il n'allait pas rester pour toujours.

Quand Tante Phoebe se rendait au travail, elle ignorait la foule amassée dans la rue. Éric restait à la maison et tuait le temps en regardant des talk-shows ennuyeux où les travestis semblaient être les invités vedettes, et des jeux où les gens gagnaient des hors-bords dont ils ne se serviraient jamais ou devenaient hystériques à l'idée de recevoir une nouvelle cuisine intégrée. Après quelques jours, il ne prit même plus la peine de les regarder.

La chaleur avait pris la maison en étau. Tante Phoebe ne supportait pas l'air conditionné qu'elle appelait «air artificiel» parce que, disait-elle, cela lui faisait mal aux sinus. Éric déambulait de pièce en pièce comme s'il était la seule chose vivante dans un musée. Il ouvrait les fenêtres de temps en temps pour laisser entrer un peu d'air frais, quand bien même très chaud, dans la maison.

Dans la rue, l'activité se relâchait rarement même si parfois il y avait des creux. Les premiers jours, les équipes de télé pointaient leurs caméras sur la maison puis sur les commentateurs qui parlaient dans des micros. Plus tard, il les voyait aux informations régionales. Les gens de la presse écrite aussi effectuaient des visites régulières, questionnaient certains spectateurs en griffonnant dans leurs carnets. À l'occasion, ils traversaient la rue et venaient sonner à la porte. Attendaient. Puis resonnaient. Abandonnaient enfin. Éric ne répondait ni à la porte ni au téléphone.

De temps en temps, une caravane de voitures débarquait au son des klaxons et des coups de frein. Les vacances d'été avaient commencé et des jeunes venaient soit se rallier à sa cause, soit protester contre sa libération. Éric leur en voulait de cette intrusion parce qu'ils maintenaient éveillé l'intérêt qu'on lui portait; leurs photos apparaissaient un peu plus tard dans les journaux ou à la télévision, avec leurs pancartes idiotes qui s'annulaient entre elles. Parfois, quand la rue était brusquement déserte, il ouvrait la porte et s'avançait sur le perron. Il contemplait avec dégoût les détritus abandonnés par la foule : emballages de bonbons, gobelets en plastique et sacs papier de chez McDonald's, canettes de soda. Les malpropres ont envahi le monde, se disait-il avec mépris.

Tous les matins, un livreur qu'il ne voyait jamais déposait le *Wickburg Telegram* à la porte. Au début, il lut tous les articles, par ennui – « Le meurtrier adolescent refuse de parler ». Après un moment, il n'y prêta plus attention car c'étaient essentiellement des réchauffés d'anciens articles où l'on n'apprenait rien de neuf.

Il se dit que le battage médiatique touchait à sa fin quand il vit en gros titre : « Éric Poole est-il dans une nouvelle prison ? » Il lut l'article qui brodait sur la vie qu'il menait dans la maison de sa tante, les émissions qu'il regardait, les livres qu'il lisait, et se dit que les journalistes tiraient à la ligne et étaient à court d'idées. Ce qui lui plut.

Ce que la presse ne savait pas, c'est qu'Éric s'arrangeait pour quitter la maison de temps à autre. Sa tante devint sa complice ; elle conduisait et lui, recroquevillé à l'arrière, attendait qu'ils aient atteint l'autoroute pour s'asseoir. Ils firent des virées dans les zones commerciales qui bordaient la Route 9. Achetèrent du matériel de camping et des vêtements. « C'est amusant, non ? » demanda Tante Phoebe en choisissant une chemise orange qu'il ne porterait jamais.

Ils firent les garages de la région à la recherche d'une camionnette d'occasion ; Éric portait une casquette de base-ball descendue sur les yeux et des lunettes noires. Après trois excursions, il trouva exactement ce qu'il cherchait. Un minivan beige d'aspect très banal, six ans, faible kilométrage au compteur. Sans climatisation, sans levier automatique et même sans radio, mais le luxe n'avait pas d'importance pour lui. Pendant que sa tante versait un acompte sur le van, Éric attendait dans la voiture. L'achat définitif aurait lieu le jour où il obtiendrait son permis.

Le meilleur moment de la journée, pour lui, c'était quand le facteur passait et qu'il allait voir s'il n'y avait pas une lettre du Bureau d'immatriculation lui annonçant le jour et l'heure de son examen. Il s'était inscrit avant sa libération, car on lui avait dit qu'il fallait compter un délai de deux à trois semaines avant d'obtenir un rendez-vous.

Il commençait à perdre patience.

Soudain, il eut du mal à trouver le sommeil le soir; il tournait et se retournait dans son lit sans pouvoir trouver une position confortable. Son cerveau et son corps se livraient bataille dans une guerre qui n'en finissait pas, des visions encombraient son esprit et le maintenaient éveillé, tandis que son corps s'agitait, mû par ces visions.

Les visions: des corps de femmes, des longs cheveux noirs tombant sur des épaules pâles, des images de Laura Andersun et Betty Ann Tersa et, enfin, de la Señorita. Son petit mot – «Appelle-moi, je t'attendrai» – s'affichait dans son esprit en lettres de néon.

Il s'assit dans le lit, en sueur, haletant comme s'il venait de faire une pompe de trop. Regarda la découpe de lumière de la rue qui entrait par la fenêtre pour rétablir sa situation dans la chambre. Jusque-là, il n'avait jamais eu de mal à dormir. Il plongeait aussitôt qu'il fermait les yeux et se réveillait brusquement le matin après une nuit sans rêves.

Il se leva et alla à la fenêtre, regarda la cour baignée dans la lumière de la lune qui donnait à tout, buissons, arbres et barrière, un éclat argenté. L'image de la Señorita prit forme dans son esprit. Il se demanda quel parfum elle portait, quelles autres senteurs émanaient de son corps. Comment sa peau répondrait à son contact, si elle serait tiède ou fraîche ou moite de sueur. Ses yeux étaient sombres, mais il l'avait toujours aperçue de trop loin pour savoir s'ils étaient noirs ou marron. Noirs lui plaisait davantage, pour aller avec la masse douce de ses cheveux qui tombaient sur ses épaules. Il se voyait plongeant ses yeux dans les siens et parcourant sa chair de ses mains, traçant du bout des doigts le paysage ravissant de son corps jusqu'à ce qu'il arrive au...

Il se détourna sans laisser ses pensées aller plus loin, il fallait éviter la souffrance du désir inassouvi, sans réponse. Dangereuses, ces pensées. Ne pas trop rêver à la Señorita. Pas encore. Il s'imaginait le vieil inspecteur quelque part par là, tapi dans l'ombre, dans un recoin, qui regardait et attendait.

C'est le lendemain après-midi, un dimanche, qu'il vit la fille pour la première fois, tandis que sa tante se reposait après avoir passé l'aspirateur et sirotait un thé devant un vieux film à la télé. Incapable de se distraire ou de rester en place, comme d'habitude, il rôdait dans les pièces, s'arrêtant de temps à autre pour jeter un œil au téléviseur. Dans le film, toutes les femmes portaient des chapeaux insensés et des jupes longues et fumaient sans cesse.

Par la fenêtre, il jeta un regard dans la rue, vaguement contrarié de céder ainsi à la curiosité. Pas même de la curiosité, d'ailleurs, un simple désir de distraction. Dans la chaleur de l'après-midi, la foule s'était raréfiée et il ne restait que quelques traînards. Pas de camionnettes de télé en vue – en fait, les équipes de télé ne se montraient plus que par intermittence, désormais, ce dont il était content.

Un mouvement soudain attira son attention sur le grand saule pleureur de la maison d'en face. Une fille se tenait sous l'arbre, partiellement dissimulée par les longues branches tombantes qui atteignaient presque la pelouse. Il aperçut son visage à travers les branches. Soudain, elle s'avança sur le trottoir, toute jaune et dorée. De longs cheveux blonds, un chemisier jaune pâle.

Son visage lui évoqua un souvenir lointain, hors de portée. L'avait-il déjà vue ?

Il attendit qu'une publicité interrompe le film de Tante Phoebe. Alors, en espérant que la fille n'aurait pas disparu, il demanda à sa tante si elle avait une paire de jumelles.

– J'ai des jumelles de théâtre, dit-elle. Je ne sais pas pourquoi on appelle ça des jumelles de théâtre, d'ailleurs. Je n'ai jamais été au théâtre.

Elle sortit les petites jumelles noires du placard de la salle à manger sans poser de questions.

Éric monta dans la chambre inoccupée qui donnait sur la rue. Attentif à ne pas quitter le bord externe de la fenêtre, il ajusta les jumelles sur la fille qui se trouvait toujours devant le saule pleureur. Ses cheveux blonds accrochaient le soleil. Des jambes bronzées, un short beige qui lui arrivait à peine aux cuisses. Elle était jolie, des lèvres pleines, un visage de jeune fille sur un corps de femme.

Tandis qu'il l'étudiait avec la paire de jumelles, elle leva son visage dans sa direction comme pour s'offrir à lui. À nouveau, elle évoqua un vague souvenir. Il était sûr de l'avoir déjà vue. Mais où, et quand ?

Les mains moites, il reposa les jumelles. Son envie de tendresse le frappa par son intensité. Qu'est-ce que j'ai manqué pendant toutes ces années ? Il avait toujours été fier du contrôle qu'il exerçait sur son esprit et sur son corps, étouffant ses désirs et ses besoins. Maintenant, il ne se sentait plus sûr de lui. La fille de l'autre côté de la rue ne l'attirait pas de la même manière que les autres (il était attiré par les filles aux yeux sombres et aux cheveux bruns) mais sa présence suscitait son désir et faisait pâlir par comparaison ses visions nocturnes de la Señorita. Il ne pouvait plus se satisfaire de visions et de rêveries.

Ce soir-là dans son lit, il tourna et se retourna mais cette fois comme si une fièvre brûlait son corps. Les paroles du vieil inspecteur résonnaient dans son esprit. Tu es incapable de ressentir quoi que ce soit, Éric.

Si c'était vrai, quel était alors ce mal qui le privait de sommeil et de repos?

Soudain, l'activité déclina dans la rue, il y eut moins de gens et ceux qui continuaient à venir lui devinrent familiers – des gosses en vacances qui n'avaient rien de mieux à faire ou des personnes à la retraite qui elles aussi avaient du temps à tuer. Une fois de temps en temps, une camionnette de la télévision passait par là et prenait quelques minutes pour filmer la rue ou interviewer les spectateurs. Un jeune type de vingt ans et quelques, un reporter apparemment, avec un appareil photo en bandoulière et des stylos dans sa poche de veste, parlait aux badauds. Éric vit qu'il abordait la fille de temps à autre, visiblement attiré. La fille ne répondait pas et s'éloignait. «Bien», fit Éric sans raison.

Le téléphone ne sonnait plus. Au début, les sonneries le faisaient sursauter, comme autant d'agressions auditives qui venaient le déranger après des années passées dans une chambre sans téléphone.

Il continuait à attendre avec impatience la tournée du facteur chaque jour. Le nombre de lettres avait dégringolé et il y avait surtout des factures pour sa tante et parfois une lettre d'une correspondante épistolaire du Kansas qui remontait à l'époque où celle-ci était au lycée. Éric apprit à reconnaître l'encre violette et l'écriture délicate. Il repoussait le courrier avec une grimace de dégoût quand il constatait que sa convocation n'en faisait pas partie.

En ramassant le *Wickburg Telegram* un matin, il fut stupéfait de voir la photo de la fille s'étaler sur la une. Un gros plan sur trois colonnes, en couleurs, où on voyait son visage dissimulé derrière les branches souples du saule pleureur. Dans le paragraphe qui accompagnait la photo, on pouvait lire :

*Miss Anonyme (ci-dessus) monte la garde tous les jours sur Webster Avenue, là où l'assassin Éric Poole, 18 ans, habite avec sa tante, Phoebe Barns, depuis sa libération. La fille a refusé de donner son nom et son adresse et répond par un sourire énigmatique à la plupart des questions. Quand on lui a demandé si elle avait déjà rencontré Éric Poole, elle a répondu par deux mots : « Une fois. » Elle a refusé de donner des détails sur cette rencontre.*

*Poole a été récemment libéré de l'institution pour jeunes de la Nouvelle-Angleterre où il a passé trois ans pour le double meurtre de sa mère et de son beau-père. Sa libération a déclenché une polémique dans tout l'État et entraîné une révision de la loi afin que les délinquants juvéniles accusés de délits graves soient jugés comme des adultes et encourent des peines plus lourdes.*

*Une fois.*

Les mots résonnaient dans la tête d'Éric comme un mauvais présage. Où l'avait-elle rencontré ? Et pourquoi faisait-elle la mystérieuse? Ces mots confirmaient son propre sentiment de l'avoir déjà vue, mais son visage ne parvenait pas à émerger de sa mémoire. Il était convaincu que ce n'était pas en prison, ce qui faisait remonter leur rencontre à trois ans plus tôt, au moins. Il plissa les yeux en étudiant la photo comme on fait au musée, devant un tableau. Elle devait avoir seize ou dix-sept ans, maintenant, et était forcément beaucoup plus jeune s'il l'avait rencontrée avant sa condamnation. Elle devait avoir des couettes, des taches de rousseur. Une môme, quoi.

Il reposa le journal et resta sans bouger à la table de la cuisine. Cette fille représentait une menace pour tous ses projets, pour son existence même. La photo dans le journal les associait dans l'esprit des gens. Elle constituait une inconnue, ce qui signifiait qu'elle pouvait faire surgir tout et n'importe quoi de son passé et hanter son avenir.

Énervé, en colère, il chiffonna le journal avec l'envie de détruire cette photo, de détruire cette fille. Puis il soupira, reposa la page sur la table et lissa les plis. Il fallait qu'il conserve cette photo, qu'il l'observe, qu'il l'absorbe dans son système. Alors peut-être parviendrait-il à se rappeler où ils s'étaient rencontrés.

Cette nuit-là, il s'éveilla d'un profond sommeil, surpris d'apprendre en jetant un œil au radioréveil qu'il était quatre heures dix. Et alors quoi? Il n'avait jamais eu d'insomnies. Qu'est-ce qui l'avait tiré de son profond sommeil?

Soudain, il sut.

Il sut où il l'avait rencontrée.

Sur la voie de chemin de fer.

Des années plus tôt.

Il se souvint, horrifié, du jour exact et des circonstances de cette rencontre.

Il venait d'en finir avec Alicia Hunt. L'avait reposée dans un buisson près de la voie, en attendant le moment propice pour se débarrasser de son corps. Il avait avancé un peu pour s'assurer qu'il était bien seul. C'est là qu'il l'avait rencontrée, en équilibre sur un rail, qui le regardait droit dans les yeux avec attention, comme si elle avait attendu de le voir apparaître.

Depuis combien de temps était-elle là?

Qu'est-ce qu'elle avait vu?

Elle avait souri, d'un sourire impossible à déchiffrer. Il se rappelait avoir engagé la conversation, avoir essayé de lui tirer les vers du nez. De quoi avaient-ils parlé? D'histoires d'anniversaire. Elle venait d'avoir douze ans – pas étonnant qu'il ne l'ait pas reconnue tout de suite dans la rue ou sur la photo. Il se rappelait maintenant comment son cœur s'était mis à battre en lui parlant. Deux en un jour. Deux à quelques minutes d'intervalle. C'était presque trop beau pour résister, malgré les risques. Mais comment se débarrasser de deux? Il avait un plan pour Alicia Hunt mais pas pour cette fille inattendue. Cette gamine, en fait. Pourtant, l'excitation le submergeait à l'idée de partager de la tendresse avec une enfant.

Avant qu'il ait pu prendre une décision, le gang de motards apparut en trombe, faisant voler la terre et la poussière, rompant l'intimité du moment. Un des types essaya d'attraper la fille et Éric éleva la voix, surpris lui-même de venir au secours de la fille, rendu audacieux par la conscience de ce pouvoir qu'il détenait sur la vie et la mort. Quand les motards furent partis, il lui dit au revoir, un peu triste, comme à contrecœur, et lui dit de rentrer, car le travail l'attendait dans les bois.

*Une fois.*

Tel un fantôme, elle avait resurgi du passé. Il ne croyait pas aux fantômes mais il croyait que cette fille représentait une menace.

Sa vieille rengaine reprit de plus belle : *Je dois partir d'ici.* Mais d'abord, il lui fallait son permis.

Tout arriva le lendemain.

Il se réveilla au son de la pluie tambourinant sur les carreaux et mettant un terme à la vague de chaleur, même si la chaleur faisait désormais partie de son existence au point de ne plus le gêner.

Il regarda par la fenêtre et vit la pluie battre la barrière et le vent souffler dans les branches et il sentit qu'il retrouvait le moral. La pluie dissuaderait les derniers spectateurs, les jusqu'au-boutistes comme cette fille.

Son moral atteignit des sommets quand il jeta un œil au courrier au milieu de la matinée et trouva une lettre du Bureau d'immatriculation. Enfin. Il l'ouvrit avec précaution, comme s'il risquait d'être puni s'il ne prenait pas garde à l'enveloppe.

L'heure et la date de son examen : deux jours plus tard, à dix heures du matin. Tante Phoebe avait promis de prendre une demi-journée afin de l'accompagner sur les lieux. Ils se livreraient à leur petit manège habituel, quoiqu'ils n'en aient sans doute pas besoin si la pluie persistait.

Il garda la convocation dans ses mains et la regarda tendrement, comme si c'était un passeport pour des destinations exotiques.

Je dois partir de la Maison de l'harmonie.

Je mets mes affaires dans mon sac à dos; la pluie fait un bruit de petits cailloux contre ma vitre. J'essaie d'être silencieuse, même s'il est une heure du matin et que je suis sûre que tout le monde dort et que la pluie étouffe mes mouvements.

Même si elles savent que je ne suis pas enceinte, Chantelle et Debbie ont été très gentilles avec moi, et Tiffany fait semblant de l'être. Chantelle m'a dit qu'elle était soulagée d'apprendre que je n'étais pas avec enfant – elle ne dit jamais enceinte mais toujours «avec enfant» – parce qu'elle dit que j'ai l'air trop jeune et innocente, même si elle reconnaît que j'ai pas précisément le corps d'une enfant.

Mme Kentall m'a laissée faire mon travail au rythme que je voulais en me donnant assez de temps libre pour aller me promener sur Webster Avenue, là où Éric Poole habite avec sa tante. Elle m'a montré comment elle voulait qu'on fasse les lits, les draps bien lisses et bien bordés, comment me servir d'un aspirateur (comme si je n'en avais jamais vu avant) et combien de lessive et d'eau de Javel il faut mettre dans la machine.

J'ai essayé deux fois d'appeler ma mère, avec Mme Kentall près de moi, mais il n'y avait pas de réponse. «Envoie-lui une carte postale», a suggéré Mme Kentall. C'est ce que j'ai fait. J'ai écrit que je m'amusais bien chez Martha et George et que j'espérais qu'elle et Gary allaient bien et que j'appellerais bientôt. J'ai signé, «Plein de bisous», et j'ai mis des cœurs.

Une fois que mon travail est fini le matin, je suis libre jusqu'au dîner où je dois aider Mme Hornsby à la cuisine. Le reste du temps, je le passe sur Webster Avenue. Je prends mon sac à dos, avec des sandwichs au jambon, une canette de Coca et deux biscuits que Mme Hornsby a préparés pour moi.

La première fois que je suis allée sur Webster Avenue, j'ai repéré un grand saule pleureur juste en face de la maison de la tante d'Éric que j'ai reconnue pour l'avoir vue à la télévision. L'arbre est si vieux et si grand que les branches touchent le sol et forment comme un énorme champignon vert. La taille de la foule m'a surprise. Des camionnettes de télé. Des journalistes et des présentateurs qui parlaient dans des micros et des caméras. Des ados qui allaient et venaient sur le trottoir en tenant des pancartes qui disaient «Éric, on t'aime», et d'autres sans pancartes mais avec des visages fermés qui poussaient et bousculaient les porteurs de pancartes. Un type avec un chapeau à la Indiana Jones a demandé à tout le monde de se taire pour les infos de midi et la foule a fait le silence et s'est reculée, comme si on était des figurants dans un film pour le cinéma ou la télé, et c'est exactement ce qu'on était, d'ailleurs. Une voiture pleine de nouveaux ados est arrivée en trombe et un flic s'est avancé et l'a arrêtée comme si la rue n'était plus un espace public et appartenait aux gens de la télé.

Le soleil tapait comme un fou, à vous donner le vertige, et j'ai eu l'impression que ma tête ne pesait plus rien. Personne ne faisait attention à moi, alors j'ai écarté les branches et je me suis glissée sous le saule pleureur, comme si j'entrais dans une cave fraîche, un autre monde. Les bruits de la rue, étouffés, paraissaient distants. Après un moment, j'ai poussé un peu les branches et j'ai jeté un œil dehors.

La maison de la tante d'Éric est un pavillon comme les autres, avec des rideaux blancs et des volets vert foncé et une façade blanche qui brille au soleil. Je n'ai pas vu de voiture dans l'allée. J'ai scruté les fenêtres, en espérant qu'il regardait peut-être au-dehors, mais bien sûr il n'y était pas. Éric Poole devait être en train de lire, en attendant patiemment que tout le monde s'en aille. Je me suis dit que c'était bizarre d'avoir été emprisonné pendant trois ans et maintenant d'être encore prisonnier et pas libre du tout, même s'il a purgé sa peine.

Au bout d'un moment, il s'est mis à faire chaud et étouffant dans ma cachette, et je suis sortie pour voir les télés qui partaient. Les gens aussi commençaient à s'en aller, il ne restait plus que quelques traînards. Je me suis mise à l'écart et je me suis concentrée sur la maison en espérant qu'il regarderait par la fenêtre à ce moment précis et qu'il se souviendrait de moi, de cette journée près de la voie de chemin de fer, même si ça fait presque quatre ans maintenant et que je n'étais qu'une gosse à l'époque. Pourtant, à part mon corps qui se développe, je n'ai pas beaucoup changé. Ma tête est toujours la même et mes cheveux sont longs et blonds comme avant.

Un jeune reporter avec un carnet à la main s'est pointé et a commencé à interviewer les gens ; quand il note leurs réponses, on voit le bout de sa langue qui sort au coin de sa bouche. Je suis restée à l'écart et j'ai évité son regard.

Au cours de mes autres visites, je me suis souvent sentie seule, au milieu des gens de la presse, des ados et des retraités, les jeunes et les vieux qui ne savent pas quoi faire de leur temps; les jeunes qui sont en vacances et les vieux qui doivent être contents de pouvoir échapper à leur télé, pour changer. La maison d'Éric restait toujours muette, sans signe de vie, et je me suis demandé si Éric était vraiment à l'intérieur ou s'il rigolait bien ailleurs, quelque part, en regardant les nouvelles à la télé et en lisant le *Wickburg Telegram*.

L'autre jour, j'ai repéré le jeune reporter qui sortait d'une voiture et je suis rentrée sous le saule pleureur. J'ai attendu un moment et puis j'ai écarté les branches pour regarder dehors. J'ai plissé les yeux pour me concentrer et là j'ai vu un mouvement à la fenêtre du premier étage, un éclat de lumière ou un reflet, et mon cœur s'est mis à battre dans ma poitrine. J'ai écarté davantage les branches et je me suis concentrée sur la fenêtre, comme si je pouvais faire passer mes pensées dans l'air chaud de l'après-midi – c'est moi, Lori, que tu avais rencontrée près de la voie de chemin de fer – et le rideau en dentelles a bougé un peu comme s'il était soulevé par une petite brise ou qu'une main l'avait touché. J'ai senti un frisson parcourir mes os, je suis sortie de sous l'arbre et j'ai levé la tête en lui offrant mon visage, sans faire attention aux autres qui étaient sur le trottoir. Est-ce que le rideau a bougé de nouveau ou est-ce que c'était mon imagination, mon envie que ça arrive qui incitait mes yeux à me trahir?

– Vous êtes encore là.

Sa voix m'a fait sursauter et quand je me suis retournée, j'ai vu le jeune reporter.

– Je m'appelle Ross Packer, il a dit. Je travaille au *Wickburg Telegram* et je fais un papier sur l'affaire Éric Poole.

Il a soulevé son carnet comme si c'était une forme de preuve. Un appareil photo pendait à son cou. Il a quelques années de plus que moi, avec des taches de rousseur sur le nez et les joues et une vague moustache qu'il doit laisser pousser pour avoir l'air plus vieux.

– Je peux vous poser quelques questions ?

J'ai jeté un œil à la maison et je me suis demandé si Éric me voyait et se disait que je le trahissais en discutant avec le journaliste.

– Vous vous appelez comment ? il a demandé en s'apprêtant à prendre des notes.

J'ai secoué la tête.

– Je préfère garder l'anonymat, j'ai dit, assez fière d'avoir trouvé cette réponse. Et je préfère aussi ne pas répondre aux questions.

« Préférer », c'est un mot qui a beaucoup de classe.

– Je ne vous citerai pas, il a dit en rangeant le carnet dans la poche de sa veste. Mais j'aimerais savoir pourquoi vous venez ici tous les jours.

Il a continué à me poser des questions, du genre : Est-ce que vous habitez à Wickburg ? Quel âge avez-vous ? Où allez-vous à l'école ? Des trucs comme ça. Je n'ai pas répondu. Souri seulement. Ses yeux n'arrêtaient pas de se promener sur moi et j'ai compris que mes réponses ne l'intéressaient pas tant que ça, après tout.

Enfin :

– Vous savez que vous êtes très belle ?

Il en venait au fait.

– Ça vous ennuie si je vous prends en photo ?

Au début j'ai voulu dire non, mais j'ai compris que c'était peut-être ce qu'il me fallait. Pour être remarquée, pour me distinguer des autres personnes du trottoir. Peut-être que si Éric voyait ma photo dans le journal, il se souviendrait de cette journée au bord de la voie de chemin de fer.

– D'accord. Ma photo, mais pas mon nom.

– Miss Anonyme, il a dit en me plaçant devant le saule pleureur et en réglant son appareil.

Il ne m'a pas demandé de sourire et a commencé tout de suite à appuyer sur le déclencheur, en murmurant: «Bien», «Très joli» et «Encore une». J'ai bien remarqué que les gens me regardaient mais j'ai gardé les yeux rivés sur l'appareil.

– Tu as déjà rencontré Éric Poole?

Il a posé la question d'une manière tellement naturelle, tout en prenant ses photos, que j'ai dit: «Une fois.» Avant de comprendre que je venais de lui répondre.

– C'était quand?

Il a dû voir la colère dans mes yeux.

– Je suis vraiment désolé. Mais il faut que j'écrive un article. Mon boulot en dépend. Éric Poole est un type mystérieux et j'essaie de combler les vides.

– Pourquoi vous ne le laissez pas tranquille? Il a payé sa dette envers la société.

Une phrase que j'avais entendue à la radio. Ross Packer m'a fait signe de le suivre et on a fait quelques pas dans la rue. Sur un ton confidentiel et en penchant la tête vers moi, il a dit:

– Il y a des rumeurs. Comme quoi il aurait tué deux autres personnes. Deux jeunes filles…

J'ai repensé à Éric, à son sourire timide et à la manière dont il m'avait protégée des motards.

– C'est de la folie.

– Peut-être. En réalité, il n'y a aucune preuve. Seulement des soupçons. C'est pour ça qu'ils continuent à le surveiller...

J'ai jeté un coup d'œil dans la rue et je n'ai vu que les habitués, les vieux et les ados. Même les camionnettes et les voitures de télé n'étaient plus là pour l'instant.

— Vous me racontez des histoires, j'ai dit en pensant qu'il essayait de m'impressionner.

— Viens avec moi.

Je l'ai suivi, curieuse d'apprendre ce qu'il savait sur Éric. Au coin de Webster Avenue et d'Adams Street, il m'a dit:

— Ne regarde pas maintenant, mais il y a une camionnette marron un peu plus loin. Rien de spécial, l'air abîmée. C'est une voiture de surveillance, de flics. Ils changent sans arrêt d'endroit mais ils le tiennent à l'œil.

On est repartis vers la maison d'Éric et à ce moment, j'ai jeté un coup d'œil rapide dans la rue et j'ai vu le van, moche de couleur et d'aspect.

— Je crois pas qu'Éric ait tué des filles.

— Il a tué sa mère et son beau-père. Quand on a tué une fois, on n'arrête plus.

Puis en me regardant:

— Du moins, c'est ce que disent certains.

Il y avait une forme d'excuse dans sa voix.

— Il a subi des mauvais traitements quand il était enfant. C'est pour ça qu'il l'a fait.

Ross Packer a haussé les épaules.

— Il faut que je retourne au journal. Tu seras là demain?

— Peut-être.

Mais je savais que je serais sûrement là, parce que mon obsession restait forte à l'intérieur de moi.

Pourtant je vais quitter la Maison de l'harmonie et

peut-être Wickburg, et peut-être même rentrer chez moi et abandonner mon obsession. D'abord, je n'ai presque plus d'argent. Il y a deux jours, quand je suis revenue de Webster Avenue, je me suis aperçue que le portefeuille de Walter Clayton avait disparu. Je ne prends que quelques dollars sur moi quand je sors et j'avais laissé le portefeuille dans le tiroir de la table de nuit. La porte était fermée. Mais c'est une vieille serrure qu'on peut ouvrir avec n'importe quelle clé. J'ai décidé de ne rien dire à propos du vol parce que je ne voulais pas faire d'ennuis et lancer des accusations qui risquaient de se retourner contre moi, même si j'étais sûre que c'était Tiffany qui avait volé le portefeuille.

Tiffany est mon ennemie depuis que je suis arrivée à la Maison de l'harmonie. Un soir, on descendait dîner et tout d'un coup j'ai senti que je tombais, j'ai perdu l'équilibre, j'ai essayé désespérément de me raccrocher à la rampe avec l'impression d'être complètement maladroite, idiote. J'ai pensé que j'avais dû me prendre le pied dans celui de Tiffany mais à ce moment elle m'a dit: «Je suis vraiment désolée» et a continué son chemin en me jetant un sourire méchant par-dessus son épaule.

Chantelle, qui se trouvait plus bas à ce moment-là, m'a prise à part après le dîner.

– Fais gaffe à Tiffany. Elle est jalouse, elle pense que Mme Kentall t'aime mieux qu'elle. Mme Kentall lui confie la responsabilité de la Maison. Alors, fais attention…

Un après-midi, sous le saule pleureur, j'ai ouvert mon sac pour prendre mes sandwichs et à la place, j'ai trouvé des ordures emballées dans un papier avec un petit mot qui disait: «On ne veut pas de toi à la Maison de l'harmonie.» Quand je suis rentrée, je me suis glissée dans le bureau de Mme Kentall et j'ai ouvert le grand cahier noir en cuir que j'avais signé le soir de mon arrivée. La signature de Tiffany était là aussi et son écriture était la même que celle du mot.

J'étais déterminée à rester le plus longtemps possible à la Maison de l'harmonie et à ne pas me faire chasser par Tiffany. J'étais bien là. Personne ne se soûle et personne ne se fait taper. Le jour où ma photo est parue dans le journal, Chantelle, Debbie et Mme Kentall se sont mises à applaudir quand je suis entrée dans la salle à manger et même Tiffany les a accompagnées. Chantelle a accroché ma photo sur le tableau d'affichage dans l'entrée. «C'est la plus jolie fille qu'on ait jamais vue ici», je l'ai entendue dire à Mme Kentall.

Mais maintenant il faut que je parte avant que les choses se compliquent. Ce soir, quand je suis remontée dans ma chambre après avoir regardé la télé, j'ai remarqué que mon couvre-lit avait été déplacé, comme si quelqu'un l'avait enlevé et remis après. Est-ce que Tiffany était revenue fouiller dans ma chambre pour voler encore quelque chose? J'ai soulevé le couvre-lit, la couverture et le drap et j'ai trouvé le livre noir de Mme Kentall glissé entre le matelas et le sommier. J'ai fait tourner les pages, et trois billets de vingt dollars sont tombés par terre. J'ai tout de suite compris de quoi il s'agissait. Demain, on s'apercevrait que le cahier et l'argent avaient disparu et on fouillerait toute la maison. On les trouverait dans ma chambre et on m'accuserait de vol. La touche finale de Tiffany.

J'ai attendu que tout le monde soit rentré dans sa chambre et je suis descendue à pas de loup jusqu'au bureau de Mme Kentall. J'ai replacé le registre dans le tiroir, soulagée de constater que la porte n'était pas fermée. Puis je suis remontée et je me suis mise à jeter mes affaires dans mon sac à dos.

Maintenant, je jette un coup d'œil au radioréveil qui me dit qu'il est 1:23.

Je sors la monnaie de ma poche et je la compte. Soixante-dix-huit cents. Jusqu'où je vais aller avec neuf dollars et soixante-dix-huit cents?

En repensant au portefeuille qui a disparu, je me dis que le pauvre Walter Clayton va devoir se faire refaire un permis et des cartes de crédit. Peut-être qu'il l'a déjà fait, d'ailleurs. Mais les photos de sa fille, Karen, et de son fils, Kevin, sont perdues à jamais. Je me promets de lui écrire une lettre un jour pour lui demander pardon.

Je ferme les paupières: j'ai les larmes aux yeux.

Je suis en colère contre moi.

*Arrête de t'apitoyer sur ton sort.*

Ma mère dit toujours: «Tant qu'on a la santé et que demain est un autre jour, il faut s'estimer heureux.» Même quand elle a un œil au beurre noir.

Moi, je n'ai pas d'œil au beurre noir.

J'ai presque dix dollars en poche.

J'ai mon obsession: Éric Poole.

Et il ne pleut presque plus.

Je mets mon sac à dos, je murmure au revoir à la chambre et je me tire.

Je vais sortir sans bruit de la maison, aller jusqu'à Webster Avenue pour faire des adieux silencieux à Éric Poole. Qui sait? Peut-être qu'il sera encore debout et qu'il me verra par la fenêtre et qu'il m'invitera à entrer?

Qui connaît les aventures merveilleuses qui m'attendent?

Jake Proctor reçut le coup de téléphone à 6 h 35 du matin.

Il avait passé la moitié de la nuit debout, à tousser, un rhume d'été dont il n'arrivait pas à se débarrasser et qui traînait depuis deux semaines, avec un peu de fièvre et des accès de toux qui l'usaient et l'épuisaient. La climatisation aggravait son cas car il entrait et sortait de boutiques gelées pour retourner dans la chaleur extérieure, puis dans la voiture où l'air conditionné déclenchait de nouvelles crises de toux et des frissons.

Pendant un temps, il ne se rendit même plus au commissariat car il ne voulait pas propager son rhume et, en plus, la climatisation du nouveau bâtiment était toujours réglée au maximum et il y régnait une température glaciale.

Jimmy Pickett lui téléphonait tous les jours et lui faisait son rapport depuis la voiture de surveillance. C'était une surveillance minimale parce qu'on ne leur avait pas permis de mettre la maison Barns sur écoute. Le chef les autorisait à garer une voiture dans les rues adjacentes, qui servait surtout à envoyer des policiers en civil sur les lieux. Détail futile, l'inspecteur en était conscient, mais c'était toujours un minimum d'activité qui permettait de passer le temps en attendant que le monstre passe à l'action. Ce qu'il ferait sûrement, même si le préfet et le procureur n'y croyaient pas.

— Faites-moi plaisir, avait dit l'inspecteur Proctor.

– D'accord, avait répondu le préfet, en guise de récompense pour toutes ses années de bons et loyaux services.

Pickett avait eu l'air excité le jour où la photo de la fille, Miss Anonyme, était parue dans le journal. Surtout à cause de cette réponse mystérieuse : «Une fois». Ce qui voulait dire qu'elle avait rencontré Éric Poole.

– Vous croyez qu'on peut se servir de cette fille? avait demandé Pickett.

L'inspecteur avait médité la question.

– Trouve d'autres renseignements sur elle.

Un peu plus tard, ce jour-là, Pickett lui avait appris qu'elle habitait dans une maison pour jeunes filles enceintes.

– Mais tenez-vous bien, elle ne l'est pas. C'est une fugueuse du New Hampshire. Quinze ans. On peut y aller. L'utiliser...

– Laisse-la tomber, avait dit le vieux flic. Elle n'a pas l'âge. Inutile de la mettre en danger. On va suivre le plan initial...

Une quinte de toux vint couvrir le soupir de déception de Pickett.

Enfin, le coup de fil arriva, à 6 h 35 du matin, tirant péniblement Proctor du sommeil. Il entendit le bruit des poubelles qu'on entrechoque dans la rue ; les éboueurs faisaient leur travail.

– C'est Pickett. Je sais qu'il est tôt. Désolé.

Proctor répondit par son rituel du matin : tousser, se racler la gorge, attraper un Kleenex.

– Vas-y, croassa-t-il enfin.

– Il est parti. Il a quitté la maison de sa tante il y a douze minutes...

– Dans quelle direction?

– Il a pris la Route 2 vers l'ouest, exactement comme vous l'aviez dit.

Pickett marqua une pause et soupira.

– On attend toujours, inspecteur?

– Exact, dit le vieux flic en toussant.

Attendre était devenu une habitude.

# TROISIÈME PARTIE

Assis au volant de son minivan, le pied sur l'accéléra-teur, il éprouva son premier véritable sentiment de liberté depuis sa sortie de prison. Le pare-brise était propre, une brise d'après la pluie rafraîchissait son visage, sous le capot le moteur vrombissait comme il faut ; il s'engagea dans la rue et prit la direction de la Route 2.

*C'est parti.*

Toujours attentif pourtant, comme si une partie de lui ne pouvait jamais se détendre, devait rester sur ses gardes, vigilante. Il jeta un coup d'œil dans le rétrovi-seur pour voir si on le suivait, jaugeant du regard les voitures qui démarraient sur son passage.

Il était à l'affût d'une vieille voiture abîmée qui le suivrait à distance respectable. Même si c'était idiot, il pensait que l'inspecteur Proctor devait avoir une voiture aussi vieille que lui, poussiéreuse et usée. Il se dit de laisser tomber cette idée mais continua quand même à surveiller les voitures.

À chaque fois qu'il redémarrait au feu rouge, il appréciait la pulsation du moteur qui se réverbérait sous ses pieds, la légère vibration du volant entre ses mains.

Il sentit monter en lui la satisfaction du propriétaire. Il remonta les vitres, s'isola du reste du monde.

Laissant enfin derrière lui la circulation de la ville, il s'engagea sur la bretelle menant à la Route 2. Il ne dépassait pas le 90 km/h et se laissait doubler. Il ne voulait pas courir le risque d'aller trop vite – ou pas assez – et de se faire arrêter par les flics. Il savait qu'il devait mener une vie irréprochable. Ne pas attirer l'attention. Respecter les règles du jeu. Enfin, donner l'impression qu'il respectait les règles du jeu.

Il s'arrêta à la première aire et se gara face à la route. Et il attendit. Penché en avant, le menton appuyé sur le volant, il étudia les véhicules qui arrivaient. Les voitures passaient vite, la plupart allaient visiblement à plus de 90 km/h. Il allait falloir qu'il s'adapte, qu'il fasse sans doute du 100. La circulation n'avait rien de suspect. Des gens qui allaient travailler à Worcester ou à Boston, personne ne s'intéressait à l'aire où il était garé.

Au moment précis où il relâchait un peu son emprise sur le volant, une voiture blanche avec deux hommes à l'avant ralentit, s'engagea sur l'aire et passa lentement près de lui pour s'arrêter près d'une benne à ordures verte, à une douzaine de mètres environ.

Éric s'immobilisa, comme toujours quand il pressentait une menace. Comme si son cœur s'arrêtait de battre, son sang d'affluer dans ses veines et ses artères. Tous les sens en éveil, vifs, aiguisés.

Dans le rétro, il vit l'un des deux hommes sortir précipitamment, se diriger vers les bois en titubant, tomber brusquement à genoux et vomir violemment.

Éric se détendit et détourna son regard. Il n'était plus immobilisé, son cœur avait recommencé à battre.

Il sentit des picotements dans ses bras et ses jambes comme le sang affluait de nouveau.

Il quitta lentement l'aire, déserte à cette heure-ci, et regagna la route.

Il roulait tranquillement à 95 ou 100 km/h, toujours sur la file de droite, quand un son lui fit dresser l'oreille, rompant le silence qui régnait dans la voiture. Quel bruit? Une sorte de mouvement.

De nouveau, ses sens se mirent en alerte; il comprit qu'il n'était pas seul dans la voiture. Il y avait quelqu'un ou quelque chose à l'arrière. Recroquevillé, dissimulé, comme lui se dissimulait pour quitter la maison avec Tante Phoebe. Il ralentit un peu, à la recherche d'un endroit où s'arrêter, et vit la pancarte qui indiquait «bande d'arrêt d'urgence». Il savait qu'il ne pouvait pas déroger à cette règle-là et courir le risque de voir une voiture de flics s'arrêter pour lui venir en aide.

Il accéléra un peu et se conseilla mentalement de se détendre en apercevant son regard angoissé dans le rétro.

Plus aucun mouvement à l'arrière – peut-être que son imagination lui jouait un tour?

Il repéra un panneau annonçant la sortie 22, qui menait à un endroit appelé Hancock. Il mit son clignotant, se dirigea vers la bretelle qu'il emprunta, fit un tour à 180 degrés et s'arrêta au stop. Laissa passer deux voitures et tourna à droite. Cinq cents mètres plus loin, dans une rue aux petites maisons à la peinture délavée et aux jardins à l'abandon, il tomba sur une station-service déserte avec une énorme pancarte «À louer» accrochée à la porte du garage. Il se gara à côté d'une vieille pompe à essence.

Tendu, la voix à peine plus haute qu'un murmure, il dit: «Je sais que vous êtes là. Qui êtes-vous? Qu'est-ce que vous faites dans ma voiture?»

Sa figure apparut dans le rétroviseur. La fille de l'autre côté de la rue, Miss Anonyme dans le journal. Des yeux verts qui le regardaient comme un gosse attrapé en train de faire une bêtise.

– Bonjour, fit-elle.

On se regarde.

Il en croit pas ses yeux en me voyant.

Et moi non plus, j'arrive pas à croire que je suis là, dans son van, en train de le regarder. Que j'ai dormi sur le siège arrière et qu'il m'a emmenée avec lui ce matin.

Voilà ce qui s'est passé.

Hier soir, après avoir quitté la Maison de l'harmonie, je suis allée à pied sous la pluie jusqu'à Webster Avenue pour dire au revoir à Éric Poole. Il ne saurait pas que je lui avais dit au revoir, bien sûr. Mais je me disais que je lui rendais une dernière visite.

Il tombait des cordes et la pluie traversait mes habits et collait mes cheveux sur ma tête mais je m'en fichais, j'ai contemplé la maison, on voyait une lumière à la fenêtre, elle avait l'air chaude et confortable à l'intérieur. En tremblant, je me suis promis de retrouver Éric Poole une autre fois et de lui planter un baiser et de mettre fin à mon obsession.

Et puis zut.

Je voulais pas quitter Éric Poole tant que mon obsession me tenait aussi fort.

Un peu plus loin, un chien s'est mis à aboyer, un berger allemand noir. Je ne sais pas où était son maître.

J'étais toute seule dans la rue, sous la pluie, avec un chien menaçant, les jambes raides, le corps dressé, le poil mouillé et collé à la peau – on aurait dit qu'il était prêt à me sauter dessus.

J'ai traversé la rue, le chien m'a suivie en continuant à aboyer. J'étais déterminée à aller sonner à la porte. Éric Poole m'ouvrirait, il me reconnaîtrait et me prendrait dans ses bras. Arrivée au pied des marches, j'ai compris que cette idée était vraiment ridicule. Trempée, grelottante, j'ai dit au chien : « Casse-toi d'ici. » Il a jappé d'un air triste et a baissé la tête.

J'étais désespérée, et c'est là que j'ai repéré le minivan devant la sortie du garage. Je l'avais jamais vu. Peut-être que d'habitude il était garé derrière, dans la cour.

J'ai traversé la pelouse en courant avec mon sac qui bringuebalait dans mon dos et mes tennis qui faisaient scouic scouic sur l'herbe. Arrivée devant le van, j'ai cherché le chien. Il ne m'avait pas suivie, il avait dû partir de son côté à la recherche d'un abri, lui aussi.

La portière était fermée.

En me servant de la méthode que Rory Adams m'avait apprise, j'ai ouvert la porte après quelques essais, avec la pluie c'était plus difficile. Je me suis glissée à l'intérieur et pelotonnée sur le siège arrière, contente qu'il fasse noir. Je me suis fondue dans l'obscurité en frissonnant, recroquevillée pour me tenir chaud, le sac à dos par terre, les habits scotchés à ma peau comme si la pluie était une sorte de colle.

J'étais épuisée et dégoûtée, perdue, désemparée, alors j'ai écouté la triste chanson de la pluie sur le toit en métal et je me suis endormie.

C'est le soleil à travers les vitres qui m'a réveillée. La

chaleur était déjà là, pesante, étouffante. J'avais la gorge brûlante, les bras et les jambes pleins de courbatures, la bouche tellement sèche que je pouvais à peine avaler. Mes habits étaient encore mouillés et me collaient à la peau.

J'ai levé la tête en bâillant, et là j'ai vu avec horreur Éric Poole qui se dirigeait vers la voiture avec un petit sac de voyage à la main. Il portait une chemise bleue au col ouvert et un jean. Je me suis aplatie sur mon sac à dos et j'ai espéré qu'il continuerait tout droit.

La porte s'est ouverte, laissant entrer une bouffée d'air frais. Je me suis raidie quand il s'est glissé derrière le volant, l'arrière de son siège s'est renflé légèrement sous son poids. Et s'il sentait l'odeur de ma transpiration?

Le moteur a d'abord vrombi puis il s'est mis à ronronner doucement.

Et le van est parti en marche arrière avec Éric Poole et moi dedans.


– Toi.

Stupéfait de la voir dans la voiture, il comprit aussitôt le danger qu'elle représentait. Tout chez elle évoquait le danger, plutôt que la surprise qu'il avait d'abord éprouvée en la trouvant là.

Peut-être qu'elle le suivait et qu'elle avait l'intention de lui demander ce qu'il s'était passé ce jour-là, près de la voie de chemin de fer. Peut-être que le vieux flic l'avait lancée à sa poursuite.

– Je suis désolée, dit-elle. Il pleuvait hier soir, je suis entrée dans la voiture et je me suis endormie.

Pourtant, la voiture était fermée.

— Sors d'ici, dit-il.

Au moment même où il prononçait ces mots, il comprit qu'il ne pouvait pas la congédier comme ça, qu'il ne pouvait pas l'abandonner avant d'avoir découvert qui elle était vraiment et ce qu'elle savait. Tandis qu'elle essayait de rassembler ses affaires et arrangeait un peu ses vêtements il dit :

— Attends.

Elle s'arrêta, une main sur la poignée de la porte, l'autre sur son sac à dos, une lueur d'espoir dans le regard. Elle était complètement échevelée, ses cheveux blonds emmêlés et de travers, le visage moite de sueur, une trace de boue sur la joue, sa chemise blanche chiffonnée. Il avait aussi remarqué son corps sous ses vêtements, ses seins qui remplissaient sa chemise, le dessin de son téton, sombre et bien visible, sous le tissu humide.

— Qui es-tu ?

— Je suis partie de chez moi. C'est une longue histoire...

Elle eut un geste d'impuissance, leva les mains, les épaules, comme trop lasse pour en parler.

— Et pourquoi tu t'es cachée dans mon van ?

— Je ne me suis pas cachée, dit-elle en repoussant une mèche de cheveux humides. Je n'avais pas d'endroit où aller. J'étais poursuivie par un chien.

La sueur luisait sur son visage.

— Est-ce que tu pourrais ouvrir un peu la fenêtre, s'il te plaît ? Il fait chaud ici.

Cette simple demande la fit apparaître pour ce qu'elle était, une fugueuse sous la pluie à la recherche d'un abri. Mais il ne pouvait pas encore se permettre de lui faire confiance.

– Qui t'a envoyée?

La surprise la fit tressaillir, comme s'il lui avait donné une claque.

– Personne. Je l'ai décidé toute seule.

Interloquée.

– Qui pourrait m'envoyer, de toute façon? Je te l'ai dit: je n'avais pas d'endroit où aller.

Elle ramassa son sac.

– Je vais y aller, dit-elle. Je vais…

*Ne fais pas de bêtises. Tu ne peux pas la laisser partir. Elle t'a vu ce jour-là.*

– Attends un peu.

Tandis qu'il se retournait en se demandant ce qu'il pourrait bien raconter, il aperçut quelque chose dans l'angle de son champ de vision. Une voiture de police bleu foncé avançait lentement dans sa direction. Sur la portière, on voyait écrit «Police de Hancock» en grosses lettres blanches. Était-ce une coïncidence? Peut-être qu'on le suivait vraiment, après tout. Peut-être que les autorités de Wickburg l'avaient repéré et avaient fait passer un message dans toutes les villes le long de la Route 2: *Attention, recherche Éric Poole, se déplace dans une camionnette beige accompagné d'une fille.*

Tendu, immobile, il vit la voiture avancer vers lui, si lentement qu'il s'attendait à entendre le moteur caler. Un flic seul, avec un long visage maigre, une visière sur les yeux, examina le van en s'attardant longuement.

Pour la fille, c'était le moment de bouger, de bondir hors de la camionnette en prétendant qu'Éric l'avait kidnappée, qu'il la retenait contre sa volonté, ce qui l'enverrait non plus en institution mais en prison, cette fois. Repensant au regard malveillant de l'inspecteur

Proctor, il se dit que celui-ci n'hésiterait pas à lui tendre un piège, à se servir de la fille comme d'un appât.

Il entendit le bruit mat de son sac qui retombait sur le plancher, le frottement de ses cuisses quand elle bougea les jambes; des effluves de sa transpiration parvinrent jusqu'à lui, avec en plus une touche de parfum aigre.

Le flic étudia la camionnette encore un long moment, puis regarda la route devant lui. La voiture repartit, accéléra et dépassa la station-service. La fille n'avait pas appelé à l'aide.

Éric se laissa tomber de soulagement sur le volant mais se redressa aussitôt, il ne voulait pas que la fille comprenne à quel point il avait été inquiet.

– Bon, dit la fille, je vais y aller maintenant.

Elle s'efforça de remettre le sac sur ses épaules.

– Je vais faire du stop jusqu'à la prochaine ville.

– Et après? demanda-t-il d'un ton absent pendant que son cerveau cavalait pour décider ce qu'il devait faire d'elle.

C'était prématuré et trop dangereux d'accomplir ce qu'il aurait peut-être fait sans hésitation quelques années plus tôt.

Elle haussa encore les épaules.

– Écoute, je suis partie de chez moi mais maintenant je veux rentrer. Je vais appeler ma mère. Elle viendra me chercher.

Elle tendit la main vers la poignée mais il l'attrapa, interrompit son mouvement. Éric savait qu'il ne pouvait pas la laisser partir. Pas maintenant en tout cas. Elle représentait toujours un danger. Le fait qu'elle ait dormi dans sa voiture la veille de son départ ne pouvait pas être une simple coïncidence. Qui lui avait appris à forcer les portes des voitures? Il repensa à leur rencontre fortuite près de la voie de chemin de fer et se demanda pourquoi elle était apparue dans sa vie à ce moment précis. Tout cela se résumait à quelques mots: il ne pouvait pas la laisser partir. Il devait gagner sa confiance, la mettre à l'aise pour qu'elle ne soit pas tentée de s'enfuir. Peut-être que, de cette manière, il pourrait découvrir les réponses qu'il cherchait.

— Attends, je vais t'aider, dit-il en prenant une voix tendre et en glissant son fameux sourire mélancolique.

— Pourquoi? demanda-t-elle en se laissant retomber sur son siège.

— Pourquoi pas? Peut-être que j'apprécie ta compagnie? Peut-être que je suis resté trop longtemps seul?

Un sourire triste apparut sur le visage de la fille, on aurait dit tout d'un coup une enfant perdue, reconnaissante d'un peu de tendresse.

Le Charme marchait encore.

Quand il me regarde comme ça, je fonds.

Je sens mes jambes qui deviennent toutes molles, mon ventre qui se creuse, ma respiration qui s'accélère et je sens presque mes seins qui gonflent. J'ai envie de l'embrasser.

Est-ce qu'il sait qui je suis?

«Toi», il a dit quand il m'a vue dans la voiture. Je me demande si ça vèut dire qu'il se souvient du jour près de la voie de chemin de fer ou de ma photo dans le journal. Au début, il avait l'air méfiant et il y avait comme de la colère qui couvait dans ses yeux. Mais maintenant, j'imagine qu'il a dû changer d'avis à mon sujet parce qu'il est devenu brusquement gentil et, oui, presque tendre.

«Viens t'asseoir devant», il m'a dit, pas comme un ordre mais comme une invitation. Je me dis que c'est sans doute le moment de lui parler de mon obsession et de l'embrasser, de poser mes lèvres sur les siennes et qu'on en parle plus.

Mais avant que je puisse me décider, il démarre. On part en marche arrière et on reprend la route, il regarde droit devant lui, il est très concentré. Il fait attention, il est prudent, il n'a pas l'air sûr de lui quand il passe les vitesses.

On fait plusieurs kilomètres sans parler.

– Ça fait longtemps que tu as ton permis? je demande.

C'est pas que ce soit très important, mais c'est histoire de parler. De remplir le silence dans la voiture. Plus que le silence, le vide, comme si, bien qu'il soit assis près de moi, il était très loin en vérité.

– Quoi?

Comme s'il ne m'avait pas entendue. Ou ne comprenait pas ce que je lui ai demandé, comme si je parlais une langue étrangère.

– Ton permis. Ça fait longtemps que tu l'as?

– Non, dit-il. Pourquoi, je conduis mal?

Il me jette un coup d'œil, comme si ma réponse était importante.

– Tu conduis très bien.

Qu'est-ce que je peux dire d'autre?

Il ne dit rien pendant un moment, comme s'il réfléchissait à ma réponse. Puis: «Merci...»

Je meurs de faim. Mon ventre est tellement vide qu'il commence à gargouiller et j'ai un peu honte des

bruits qu'il fait. Je regarde le tableau de bord. Il n'y a
pas de radio. Pas d'air conditionné non plus. Des
fenêtres seulement pour les passagers avant. L'air qui
entre sent le vieux, le fétide, avec quelque chose de chi-
mique, il doit y avoir une usine dans le coin qui
recrache des saletés par la cheminée.

Je me demande où on va, où il m'emmène. Mais
j'hésite à lui demander. J'ai peur de lui demander.

Je repense au journaliste qui m'a parlé des rumeurs
selon lesquelles il aurait tué deux filles. À la manière
dont il s'est crispé, quand la voiture de flics s'est appro-
chée et que le flic nous a regardés pendant quelques
minutes.

Je lui jette un coup d'œil de côté en espérant qu'il
ne s'en aperçoive pas et j'étudie son profil, délicat, juste
une petite bosse sur le nez. C'est vrai qu'il est beau mais
ça ne veut pas dire qu'il n'a pas tué ces filles.

Du calme, je me dis. Si c'était un assassin, on ne
l'aurait pas laissé sortir, il ne se baladerait pas dans la
nature comme ça.

Je vois une pancarte devant nous qui indique :

**PARC DE GREENHILL**
**BIENVENUE À TOUS**

Et on quitte la route pour entrer dans une forêt
épaisse, dense.

Un parc, c'était parfait pour ses intentions. Loin de
la route, des voitures de police qui pouvaient l'inter-
rompre à n'importe quel moment.

Il engagea le van sur une route en terre, concentré
sur les boucles et les tournants du chemin, en essayant
de ne pas penser à la fille mais conscient malgré tout de

sa présence, de la façon dont elle bougeait sur le siège d'à côté.

Cela faisait tellement longtemps qu'il ne s'était pas retrouvé seul avec une fille qu'il ne savait pas quoi faire ni quoi dire. En fait, il n'avait jamais passé beaucoup de temps seul avec une fille, à part avec Laura et les autres mais ce n'était pas exactement des situations classiques.

Les années qu'il avait passées en détention étaient ses années d'adolescence durant lesquelles il aurait dû acquérir des facultés sociales (c'est ainsi qu'un de ses éducateurs les avait appelées dans son cours). C'est pour ça qu'il se sentait idiot, médiocre en questionnant la fille. Il lui fallait du temps. Du temps pour faire connaissance, comprendre qui elle était vraiment, qu'est-ce qu'elle fabriquait devant chez sa tante jour et nuit, pourquoi elle avait dormi dans sa voiture la nuit dernière – comprendre si elle était vraiment aussi innocente qu'elle en avait l'air.

Il se rangea sur le côté de la route pleine d'ornières et s'arrêta; le moteur continuait à vrombir sous ses pieds. Il voulait savoir si une voiture l'avait suivi dans le parc. Assez vite, il se mit à faire chaud dans le van. À côté de lui, la fille s'agitait mais ne disait rien.

Il se força à attendre cinq minutes, en jetant un regard à sa montre de temps à autre. Puis il repartit, satisfait.

Au sortir d'un tournant, ils arrivèrent tout d'un coup dans une clairière. «Ouah, c'est super-joli!» s'exclama la fille.

Il était frappé par la différence entre son corps, plein et mûr comme celui d'une femme, et sa façon de parler, qui faisait parfois penser à une petite fille, prête à s'étonner ou à s'émerveiller pour un rien. Comme maintenant, par exemple : «Quel endroit génial!»

Il hocha la tête, à l'affût d'un flic ou d'une voiture de police, mais il n'y en avait pas. Après toutes ces années passées en détention et ensuite pratiquement en prison chez sa tante, il avait oublié que des endroits comme celui-ci existaient. Devant lui se trouvait un petit lac, à la surface troublée par une légère brise – les vaguelettes ressemblaient à des plis sur un couvre-lit bleu. Des grands pins le protégeaient. Plus loin, un kiosque à musique où des concerts devaient avoir lieu le dimanche après-midi, devant les familles réunies. Sur la droite, un pavillon avec une terrasse qui courait tout autour. Le samedi soir, on devait y donner des bals. Il se demanda pourquoi il se sentait seul, brusquement.

«Regarde», dit-elle en désignant du doigt un espace occupé par des balançoires, des toboggans et un tourniquet en bois sur lequel deux petites filles riaient aux éclats pendant qu'une femme les faisait tourner. Un petit garçon dévalait le toboggan la tête la première, son père le rattrapa en bas puis le lança dans les airs.

Ils continuèrent à avancer dans le parc et il vit un couple de jeunes sur la rive qui jetait des morceaux de pain dans l'eau. Des cygnes blancs, dont les cous lui rappelaient les anses du plus beau service en porcelaine de sa mère, picoraient le pain tout en réussissant à conserver quelque chose de gracieux.

Il conduisit jusqu'à un bois de pins où on avait installé des tables de pique-nique. Il gara le van et attendit un moment, les mains sur le volant, en réfléchissant à la prochaine étape. Il devait décider quoi faire de la fille avant de prendre contact avec la Señorita. L'image de

Maria Valdez prit forme dans son esprit, ses longs cheveux, la façon dont elle l'avait regardé dans le réfectoire. Tous ces plaisirs qu'elle évoquait, bientôt à sa portée. Mais d'abord, la fille.

— Est-ce que je peux sortir me dégourdir les jambes? demanda-t-elle, ce qui le fit sursauter en le ramenant brusquement à l'endroit où il se trouvait, au parc, au van dans lequel il était assis.

— Pourquoi pas? finit-il par répondre.

Ils étaient entourés de grands bois, ils avaient fait au moins un kilomètre depuis qu'ils avaient quitté la route. Si elle essayait de s'enfuir, il pourrait facilement la rattraper.

Elle descendit de la camionnette et s'étira, les seins écrasés par son chemisier quand elle leva les bras. Elle se dirigea vers une table de pique-nique, les aiguilles de pin craquaient sous ses pieds, et elle s'assit, le menton dans les mains, les yeux rivés sur le lac. Elle avait l'air... triste. Plus triste qu'effrayée. C'était un bon signe. Il fallait qu'elle se sente à l'aise avec lui.

Il s'assit en face d'elle. Il fallait la faire parler maintenant, obtenir des renseignements.

Elle le regarda comme si elle attendait quelque chose, comme si elle savait que le temps était venu de répondre aux questions.

Il se demanda par où commencer. À sa grande surprise, elle commença à sa place.

— Tu te souviens de moi? demanda-t-elle.

— Et pourquoi je me souviendrais de toi? répliqua-t-il prudemment pour ne rien avoir à avouer.

Déception dans ses yeux.

— La fois près de la voie de chemin de fer? Il y a

longtemps? Trop longtemps, peut-être, soupira-t-elle. J'étais qu'une gosse...

Il comprit qu'il n'avait rien à gagner en refusant d'admettre qu'il l'avait rencontrée. Au contraire, il devait trouver ce qu'elle savait exactement des événements de la journée.

— Je me rappelle, fit-il. C'était ton anniversaire, non?

Elle sourit et l'enfant en elle réapparut.

— C'est ça. Ma mère l'avait oublié et toi tu as été très gentil. On a bien parlé tous les deux. Et puis les motards sont arrivés. Je t'ai trouvé très courageux. Tu leur as dit de me laisser tranquille.

Elle secoua la tête avec attendrissement en se remémorant l'événement.

— Et tu te rappelles autre chose? demanda-t-il.

Et s'en voulut immédiatement. Ses questions risquaient de réveiller un souvenir auquel il valait mieux ne pas toucher.

Elle haussa les épaules, à l'aise maintenant, et se pencha en avant en allongeant ses bras sur la table.

— Je me rappelle que c'était une belle journée et que je me suis sentie triste quand je suis partie. Je voulais revenir le lendemain pour voir si tu étais encore là. C'est idiot, hein? Mais je l'ai jamais fait. Ma mère et moi, on a quitté la ville le soir même. Elle a trouvé un boulot dans le New Hampshire. On part toujours comme ça, à toute vitesse...

Il inclina la tête, soulagé, reconnaissant. Elle ne se souvenait pas de la fille, ne pouvait pas l'associer à Alicia Hunt. Elle ne constituait donc pas une menace, après tout.

Elle soupira et regarda autour d'elle.

– C'est beau ici, hein?

– Oui, dit-il.

– Tu sais quoi?

– Quoi?

– Je crève de faim.

Elle regarda en direction du pavillon. Il suivit son regard et vit un vieil homme qui poussait une carriole blanche sur la route et s'arrêtait au bord de l'eau. «Hot dogs, glaces, pop-corn», annonçaient les panneaux affichés sur le côté de sa carriole. Le vieil homme ouvrit un parasol à rayures pour protéger son échoppe du soleil.

– Tu n'as pas petit-déjeuné, c'est ça? demanda-t-il.

Elle sourit.

– Tu vois, tu es toujours gentil, Éric.

C'était la première fois qu'elle prononçait son nom. Il s'aperçut qu'il n'avait pas entendu son nom dans la bouche d'une fille depuis Alicia Hunt. Qui sentait le citron, avec ses cheveux noirs collés sur ses joues. Il essaya d'imaginer cette fille avec des cheveux noirs.

Ils quittèrent le coin pique-nique et marchèrent un peu près du lac en regardant les cygnes qui s'éloignaient de la rive en flottant comme de petits icebergs, abandonnés par les adolescents qui avaient maintenant disparu.

Il avançait à ses côtés, convaincu de son innocence. Il pouvait la laisser partir. La déposer à la ville suivante, lui donner assez d'argent, si besoin était, pour qu'elle prenne le bus et rentre chez elle, et s'occuper de Maria Valdez, la Señorita. Il se sentait de bonne humeur et regarda la fille presque avec affection. En attendant, ils pouvaient rester un peu par ici. Se reposer en attendant que la chaleur tombe. Se baigner, peut-être. Il parcourut la rive du regard à la recherche d'une plage.

– Qu'est-ce que tu cherches? demanda la fille. Y a quelque chose qui ne va pas?

– Non, répondit-il. Je viens de m'apercevoir qu'il n'y a pas de plage ici.

De s'apercevoir aussi de sa vivacité.

– Ça me gêne pas, dit-elle. Je sais pas nager. J'ai jamais pris le temps d'apprendre.

Le jeune couple qui nourrissait les cygnes était maintenant dans une barque qui glissait paresseusement sur le lac. La fille, qui portait un grand chapeau blanc, était assise à l'avant, tout alanguie, et laissait traîner sa main dans l'eau.

– C'est joli, non? demanda la fille à côté de lui. C'est ça que j'aimerais faire un jour. Porter un chapeau blanc comme ça et me promener en barque, en laissant traîner ma main dans l'eau.

On aurait dit qu'elle se parlait à elle-même, qu'elle l'avait complètement oublié.

– Vivre la vie des autres…

Chez le marchand, elle commanda deux hot dogs, une glace et un Coca. Le vieil homme roula sa moustache blanche d'une main tout en lui tendant sa commande de l'autre. Elle inonda ses hot dogs de moutarde et de ketchup mais se passa d'oignons. Pour lui, une glace lui suffisait, il n'avait toujours pas faim. Ou plutôt, il avait faim d'air frais, du vert des sapins, du bleu du lac, du gris des rochers. Comme si pendant toutes ces années passées en détention, il avait été frappé de daltonisme et que ses sens venaient enfin de sortir d'un long sommeil.

En revenant vers les tables de pique-nique, il avala l'air à pleins poumons.

Elle mangea comme une vorace, en mâchant à peine les aliments avant d'avaler. Il essuya une trace de moutarde sur sa joue. Elle le remercia d'un sourire tout en continuant à manger. La glace était fraîche dans sa bouche, dans sa gorge. Elle engloutit son Coca, rota discrètement et sourit en guise d'excuse.

— Tu ne sais plus comment je m'appelle, hein?

Il éluda la question.

— Je croyais que tu voulais rester anonyme…

— Pas avec toi.

Elle avala sa dernière gorgée de Coca.

— Je t'ai dit que je m'appelais Lori, c'est comme ça que tout le monde m'appelle. Mais mon vrai nom, c'est Lorelei — berk! Mon nom de famille, c'est Cranston. Comme l'Ombre…

— Quelle ombre?

Elle avait le pouvoir de le décontenancer, de le déstabiliser.

— Une vieille émission de radio, il y a des années. On en a fait un film il y a quelque temps. L'Ombre sait…, dit-elle en exagérant sa prononciation. En réalité, l'Ombre s'appelle Lamont Cranston, le play-boy de New York. Ma mère m'appelle Ombre, des fois, quand je la rends folle en lui disant qu'elle ne devrait pas boire le matin, par exemple…

En soupirant, elle ajouta:

— Mais j'aime mieux Ombre que Lorelei, et Lori mieux que les autres.

— Je promets de ne jamais t'appeler Lorelei, d'accord? dit-il en essayant de se montrer aussi léger qu'elle.

— Dis-le.

— Dis-le quoi?

— Lori.

— OK, Lori.

— Ça te gêne pas que je t'appelle Éric comme je viens de le faire?

Il haussa les épaules.

— Si t'en as envie.

— J'en ai envie, Éric.

Et elle sourit, d'un sourire qui illumina son visage, ses yeux vert brillant, ses joues rosissantes. Si seulement elle avait les cheveux noirs et la peau mate comme ses brunes...

D'une voix enjouée, elle reprit:

— Tu ne m'as pas demandé pourquoi...

— Pourquoi quoi?

— Pourquoi je suis venue devant chez ta tante tous les jours...

Pris de court, il improvisa rapidement.

— J'ai pensé que tu me le dirais en temps voulu, dit-il en se reprochant intérieurement d'avoir négligé une question aussi évidente et de ne pas non plus lui avoir demandé son nom.

— Je vais te le dire mais ne rigole pas.

— Je ne rigole pas souvent.

En prononçant ces mots, il s'aperçut de la véracité de cette affirmation, ce qui le troubla. Elle prit une grande inspiration.

— Je fais une obsession sur toi, annonça-t-elle.

— Qu'est-ce que tu veux dire par obsession?

— Eh bien, de temps en temps, je bloque sur des choses. Pas des choses, en fait, des gens. Comme toi.

Quand je t'ai vu à la télévision le jour où on t'a libéré, c'est là que c'est arrivé. Je me suis rappelé comme tu avais été gentil la fois où on s'était rencontrés près de la voie de chemin de fer, le joli sourire que tu avais et paf, j'ai bloqué, nouvelle obsession...

Mais elle ne lui avait toujours pas dit ce qu'étaient vraiment ses obsessions et il attendait. « Voilà », dit-elle, comme si elle hésitait maintenant à fournir une explication. Et détournant les yeux, les joues un peu rouges :

– Une obsession, ça veut dire qu'il faut que je t'embrasse. Mais un vrai baiser, je veux dire... (Pause.) Avec la langue...

Il ne savait pas s'il devait rire de cette fille grotesque ou se débarrasser d'elle au plus vite.

– Je sais que ça a l'air ridicule, reprit-elle. Mais je n'y peux rien. Laisse-moi t'embrasser et ce sera terminé...

Il ne pouvait pas embrasser cette fille. Peut-être qu'il ne se faisait pas suffisamment confiance pour l'embrasser. Malgré sa beauté, c'est Maria Valdez qui retenait toute son attention. Pourtant, il se demandait en lui-même ce qu'il se passerait s'il l'embrassait effectivement, avec la langue. Toutes ces années en détention sans filles, avec seulement des souvenirs. Y aurait-il de la tendresse dans ce baiser ? Conduirait-il à autre chose ?

– C'est bon, dit-elle brusquement. Laisse tomber. J'aurais pas dû parler de ça.

Comme elle levait son bras pour arranger ses cheveux, il remarqua les cicatrices qu'elle avait au poignet. Il avait vu des cicatrices similaires sur le poignet d'un môme à l'institution qu'on avait mis sous surveillance pour cause de tendances suicidaires.

Il attrapa sa main et la retourna pour regarder son poignet.

— Tu as essayé de te suicider?

— Peut-être. Je sais pas vraiment, répondit-elle en détournant son regard. Je ne voulais plus vivre mais je ne voulais pas mourir non plus. Ma mère...

— Elle te maltraite?

— Non, elle a toujours été gentille avec moi. Elle ne me bat jamais. Mais elle est faible, des fois. Elle veut bien faire et puis elle boit un autre verre et elle oublie complètement ce qu'elle voulait faire.

— Comme quand elle oublie ton anniversaire...

— Ça n'a rien à voir avec mon anniversaire. C'était idiot, je referai plus jamais ça. J'étais toute seule. Ma mère était partie faire la fête avec un mec qui aimait bien la frapper, après. J'ai eu mes règles, c'était la première fois, j'avais du sang partout et mal au ventre. J'ai bu du whisky qui traînait dans une bouteille. J'ai pris des cachets, des calmants, que j'ai trouvés dans l'armoire à pharmacie. J'ai trouvé des lames de rasoir, aussi. Je me suis mise dans la baignoire et j'ai regardé tout ce sang. Ma mère m'a trouvée en rentrant. Elle a appelé les pompiers. À l'hôpital, mes plaies ne voulaient pas guérir, j'ai attrapé une infection. C'est pour ça qu'il me reste des cicatrices...

— Je suis désolé, dit-il, surpris d'entendre ces mots sortir de sa bouche.

— Merci.

— De quoi?

Il ne savait jamais quoi dire à cette fille étrange, qui

bougeait son corps avec insouciance, sexy et innocente à la fois. Il avait le sentiment de perdre son temps, un temps précieux, avec elle, dans ce parc. Il était perturbé aussi de ne pas parvenir à prendre une décision à son sujet. Avant la maison d'arrêt, il avait toujours été très décidé, ne doutant jamais de ses actes ou de ce qu'il devait faire aux filles, à Harvey, à sa mère. Les années passées à l'écart l'avaient-elles transformé, adouci ? Il pressentit le danger que cela représentait pour tous ses projets, si tel était le cas.

— Viens, on va donner à manger aux cygnes, dit-elle en se levant d'un bond, comme si elle avait perçu son humeur et cherchait à la dissiper.

Il acheta un sac de croûtes de pain au vieil homme et ils les lancèrent aux cygnes. Leurs mouvements gracieux, même lorsqu'ils se précipitaient sur la nourriture, lui plaisaient.

— Oh, dit la fille, le bras levé comme pour jeter du pain mais interrompant son mouvement et lâchant le morceau, je me rappelle d'un autre truc ce jour-là.

— Quel jour ?

— Celui où je t'ai rencontré près de la voie de chemin de fer. La fille… T'étais avec une fille, tu te rappelles ? Je t'ai vu entrer dans les bois avec elle. Et un peu plus tard, tu es ressorti tout seul. Tu te rappelles maintenant ? C'est là que tu m'as vue…

C'est dans ce genre de situation qu'il était au meilleur de sa forme, calme, impassible, tandis que son esprit cavalait, les pensées claires, précises.

— Je me rappelle maintenant, dit-il. Une fille que je venais de rencontrer au centre commercial. Elle avait perdu son portefeuille en prenant un raccourci à travers bois près de la voie. Je lui avais proposé de l'aider à le retrouver. On est revenus sur ses pas...

Il constata avec satisfaction qu'il n'avait pas perdu sa capacité à improviser au pied levé.

– Elle l'a retrouvé ?

En se souvenant de la fille, elle venait de signer son arrêt de mort et peu importait maintenant qu'elle ait été ou non envoyée par l'inspecteur Proctor pour servir d'appât. Elle avait vu Alicia Hunt, pouvait établir un lien entre elle et Éric. Elle les avait vus ensemble le jour où Alicia avait disparu. En fait, il comprit avec tristesse que Lori Cranston était entièrement innocente. Même l'inspecteur n'était pas au courant d'Alicia Hunt.

– Elle l'a retrouvé ?

Sa voix lui parvint de très loin et il s'aperçut qu'elle avait dû répéter sa question.

– Quoi ?

– Elle l'a retrouvé ? Son portefeuille ?

– Non. On a cherché partout...

– C'était pas ta copine ?

– Non, je venais de la rencontrer quelques minutes auparavant...

Éric fut envahi par un immense sentiment de perte maintenant qu'il savait qu'il devait faire ce qu'il ne voulait pas faire. Il n'y aurait aucun plaisir à mettre un terme à la vie de cette fille, aucune tendresse. Il courrait les risques habituels. Il lui faudrait prendre des précautions supplémentaires, être absolument certain qu'on ne le suivait pas, que personne ne l'avait vu en sa compagnie.

Il jeta le reste des croûtes de pain aux cygnes, une

pluie de miettes qui cribla la surface de l'eau, et dit:
«Faut qu'on y aille.» Plus vite elle mourrait, mieux ce
serait pour eux deux.

Il essaya de sourire quand elle se retourna vers lui.

Pourquoi il me regarde comme ça?

Ça me donne presque la chair de poule, son visage
qui se fige, ses yeux qui deviennent sombres et sa
bouche tellement pincée que ses lèvres deviennent
minces et amères, comme les traits d'un dessin.

D'autres fois, son visage est doux et ses yeux tendres
et gentils et il penche sa tête en me regardant avec une
sorte d'émerveillement comme si j'étais un spécimen
rare qu'il n'avait jamais rencontré.

Il ne se comporte pas comme les autres types. Par
exemple, quand je remue les jambes ou que je rejette
les épaules en arrière pour mettre mes seins en valeur –
comme quand je suis sortie de la camionnette et que je
me suis étirée pour le tester – ses yeux glissent sur moi
comme si j'étais un mannequin dans une vitrine.

Peut-être que c'est parce qu'il a été enfermé depuis
l'âge de quinze ans et qu'il n'a pas pu mener une vie
normale. Mais je me demande si sa vie était normale
avant ça. Je veux dire, il a tué sa mère et son beau-père,
nom d'un chien. Donc sa vie ne devait pas être exactement comme celle de tout le monde. J'ai entendu parler des traces qu'il a sur le corps et qui viennent de
l'époque où son beau-père le maltraitait et ça non plus
ce n'était pas normal.

C'est une énigme pour moi.

Quand il a essuyé la trace de moutarde sur ma joue,
il l'a fait avec douceur. Quand il a pris ma main pour

regarder les cicatrices sur mon poignet, sa main était ferme mais ses yeux doux. Mais il m'a menti.

Et ce mensonge me rappelle ce que le journaliste m'a dit, les rumeurs à propos des deux filles. C'est dur à croire. Ou peut-être pas.

Son mensonge me donne la chair de poule.

Il a dit que la fille avec qui il se promenait dans les bois n'était pas sa copine, qu'il venait de la rencontrer au centre commercial et qu'il l'aidait à retrouver son portefeuille qu'elle avait perdu.

Mais je les ai vus se tenir la main et puis il l'a prise dans ses bras et il l'a embrassée, un long baiser profond, avant de disparaître dans les bois.

Je n'ai pas parlé de la fille avant parce que j'étais jalouse, je ne voulais pas évoquer une autre, je ne voulais rien savoir. Mais c'est sorti comme ça, sans prévenir, comme un hoquet qu'on n'attend pas.

Depuis, rien n'est plus pareil.

Il a changé. Parce qu'il sait que je l'ai surpris en train de mentir.

Maintenant, on est de retour dans la camionnette et c'est clair qu'il ne veut pas être vu avec moi. Il m'a dit de m'asseoir à l'arrière, ce qui me rend claustro parce qu'il n'y a pas de fenêtres. Et il a arrêté de me parler, aussi.

Depuis qu'il a dit qu'il fallait y aller alors qu'on donnait à manger aux cygnes, il n'a presque rien dit. Il ne m'a pas regardée non plus. Il est à moitié recroquevillé sur son volant et il n'arrête pas de jeter des coups d'œil dans son rétro comme s'il essayait de repérer quelqu'un derrière nous.

Il y a une minute, je lui ai demandé où on allait et il n'a pas répondu.

On dirait qu'il est deux personnes à la fois dans un seul corps : le type gentil qui m'a acheté des hot dogs et m'a posé des questions sur mes cicatrices et le type aux yeux froids qui est un étranger, comme maintenant à son volant.

Je ne me sens pas seulement claustro ici, à l'arrière. Je me sens coincée.

Et j'ai peur, aussi.

Il sortit du parc et regagna la route, pris dans un enche-
vêtrement d'émotions ; il lui fallait un peu de temps
pour mettre les choses au clair. Il savait qu'il devait éliminer la fille finement, sans laisser de traces ni d'indices.
Il devait aussi prendre contact avec Maria Valdez, il sentait ce besoin grandir en lui et lui ronger l'intérieur
comme un vide énorme qui devait être rempli aussi vite
que possible.

En jetant un coup d'œil dans le rétroviseur, il ne vit
derrière lui que le flux de la circulation habituelle. Il se
décida enfin à admettre qu'il n'était pas suivi et qu'il ne
l'avait pas été depuis qu'il avait quitté Wickburg. Pendant tout le trajet, il avait guetté les voitures suspectes
et n'en avait vu aucune. Il n'y avait pas de voiture de
police dans le parc où il aurait été impossible à tout
véhicule, suspect ou non, de pénétrer sans se faire
remarquer.

Il leva les yeux vers le siège arrière et vit la fille toute
recroquevillée, repliée sur elle-même comme un petit
enfant. Maintenant qu'il l'avait condamnée, il éprouvait
un élan de tendresse envers elle, pas celle qu'il avait res-
sentie avec les autres filles ou qu'il poursuivait avec
Maria Valdez, mais une tendresse différente, qui lui
donnait envie d'être doux avec elle. Son visage, moite
de sueur, était légèrement bouffi sous les yeux par l'effet
de la chaleur ou peut-être simplement parce qu'elle
avait mal dormi dans la camionnette la nuit précédente.

Il lui avait accordé deux minutes pour se rafraîchir dans les toilettes uniques du petit pavillon, après avoir vérifié qu'il n'y avait pas de porte de derrière ou de fenêtre par laquelle elle aurait pu tenter de s'enfuir. Elle en était ressortie le teint clair, dispos, l'œil vif. Mais en la regardant de nouveau, il aperçut une expression inquiète dans ses yeux – de la peur peut-être? –, comme une ombre qui traversait son visage. Peut-être soupçonnait-elle ce qui allait lui arriver.

Il fallait qu'il élimine toute réticence de sa part, car elle pouvait lui faire accomplir un geste désespéré qui risquait d'attirer l'attention sur eux.

Il s'arrêta sur le côté de la route.

– Tu ne veux pas t'asseoir devant? Mets-toi à côté de moi, comme ça on pourra parler.

– Pourquoi tu m'as fait asseoir derrière, d'abord? demanda-t-elle, encore méfiante.

– Bon, j'avais peur qu'on nous suive, que la police pense que je t'avais enlevée. Tu es mineure et fugueuse. Je ne peux pas me permettre d'avoir des ennuis…

Son visage se radoucit. Elle repoussa une mèche de cheveux de son front. Ouvrit la porte et se faufila à l'avant.

– Merci. Je commençais à me sentir claustro là-dedans.

Touchant légèrement son bras, elle ajouta:

– Je resterai tranquille.

– Reste comme tu es, dit-il. Et moi aussi, j'essaierai. Sois patiente avec moi. J'ai été enfermé pendant trois ans. De temps en temps je me crispe. Je fais des efforts pour revenir à la normale.

Il la gratifia de son plus beau sourire, sans se forcer,

il voulait gagner sa confiance, disperser ses doutes. «D'accord», dit-elle, le regard brillant de nouveau, et il s'émerveilla du pouvoir qu'il avait de l'affecter, comme s'il suffisait de pousser des boutons pour la rendre heureuse ou triste. Ou lui faire peur.

Il poussa encore un bouton en effleurant sa main posée sur son genou.

— J'aime bien que tu sois là avec moi, dit-il.

Et il constata que ces mots lui venaient aisément.

Quand il me touche, ça me fait une décharge électrique comme quand on marche sur de la moquette épaisse. Il retire sa main rapidement mais je sens encore une brûlure sur ma peau à l'endroit où il m'a touchée.

Son sourire est éblouissant, mais il y a autre chose. Comme de l'affection. Un jour, M. Sinclair nous a dit que le mot «affection» était un des mots les plus délaissés du langage, que les gens balancent le mot «amour» dans tous les sens comme si c'était des confettis alors qu'en réalité ils veulent parler d'affection. Et que l'affection est un sentiment unique qu'on peut éprouver pour quelqu'un.

Moi, je pense que l'affection peut être quelque chose de triste, surtout quand on veut plus que ça, quand on veut de l'amour sans pouvoir l'obtenir.

— Éric.

J'adore prononcer son nom.

— Quoi? il demande d'un air absent comme d'habitude, comme s'il pensait à autre chose et ne m'avait pas vraiment entendue.

— Je pense que mon obsession est partie.

— Bien.

Il se tourne un peu vers moi, un demi-sourire aux lèvres. Puis il se retourne vers la route.

— Je pense que je suis en train de tomber amoureuse de toi, en fait.

Il ne répond pas. La voiture fonce, accélère.

— C'est une très mauvaise idée, il dit finalement d'un ton très lent, comme s'il avait répété les mots dans sa tête. De toute façon, qu'est-ce que tu connais de l'amour? Tu n'es qu'une enfant...

Je remue mon corps mais je me sens un peu nulle de faire ça parce que mon corps ne l'excite pas. Ou en tout cas, il fait comme si.

— J'ai presque seize ans. Et l'amour n'a rien à voir avec l'âge. Regarde Roméo et Juliette. Juliette avait quatorze ans. Je n'ai jamais senti ça avant. Enfin, un petit peu peut-être.

Je pense à M. Sinclair.

— Avec qui? il demande mais comme pour me faire plaisir, pour faire la conversation.

— Un prof. M. Sinclair.

— Il savait que tu ressentais ça pour lui?

— Peut-être, parce qu'il avait peur de moi.

— Pourquoi avait-il peur de toi?

— Peur d'avoir des ennuis s'il me touchait, me montrait ce qu'il ressentait.

Il ne répond pas et garde ses yeux fixés sur la route, en continuant à jeter un coup d'œil par-ci par-là dans le rétro.

On continue à rouler les fenêtres ouvertes, le vent souffle dans mes cheveux, on parle de temps en temps et même les silences sont agréables. Je mets ma main sur son genou et il ne la repousse pas.

On quitte la nationale et on prend de petites routes de campagne inondées de soleil, c'est une brise douce qui entre par la fenêtre maintenant, plus ce vent violent.

On entre dans une ville dont je ne connais pas le nom et ça n'a pas d'importance. En passant lentement devant un arrêt de bus, je sens qu'il se raidit à côté de moi, qu'il devient rigide en fait, et ses phalanges sur le volant deviennent toutes blanches. Il se glisse dans une place de parking et regarde fixement par ma fenêtre.

Je suis son regard et je la vois. Elle est grande, avec de longs cheveux noirs qui flottent dans le dos, ils lui arrivent presque à la taille. Elle porte une jupe longue à motifs cachemire et une chemise blanche. Elle a la tête penchée car elle regarde la vitrine d'un magasin de vêtements. Le regard d'Éric me surprend, me choque en fait. C'est comme voir dans son âme, il y a quelque chose de brut et de nu, un tel désir dans ses yeux mais plus que ça encore. Comme une faim. Je repense aux films d'horreur où on voit un homme se transformer en loup-garou grâce à des ruses de cinéma, il passe d'une personne normale à une bête pleine de poils avec des griffes et des yeux luisants. Éric ne se transforme pas en animal, il n'a pas de poils ni de griffes mais il a changé. Le désir brut que je vois dans ses yeux me donne des frissons malgré la chaleur.

Je respire un grand coup.

— Pourquoi tu ne vas pas lui parler ? je m'entends lui demander.

Il me jette un coup d'œil comme s'il avait oublié que j'étais là.

— Elle est belle, je dis. Elle est toute seule. Peut-être qu'elle s'ennuie.

Je me déteste de raconter des trucs pareils mais je veux qu'il soit heureux.

Il secoue la tête, plus d'une fois, deux, trois, comme s'il essayait de se débarrasser non seulement de mes mots mais de quelque chose à l'intérieur de lui.

— Vas-y, je le pousse. Va lui parler. On dirait qu'elle t'attend.

Pendant que je lui dis ça, ma tête me joue un tour parce que, d'un autre côté, je sais ce qu'il risque de faire s'il va voir la fille mais je refuse d'y penser vraiment, comme si mon esprit était coupé en deux, à moitié dans la lumière, à moitié dans l'ombre. Je sais ce que signifie ce désir dans ses yeux, ce qu'il a peut-être fait aux autres filles, mais je le nie en même temps : c'est un type comme les autres, je me dis, qui a repéré une jolie fille dans la rue et qui veut la brancher.

— Je t'aime, je lui dis. Je veux que tu sois heureux. Vas-y.

Il a une main sur la poignée de la portière et je crois qu'il est prêt à se jeter hors du van quand je dis : «Attends.»

On voit tous les deux la fille se détourner de la vitrine, les yeux brillants, tandis qu'un type arrive avec une mallette, vêtu d'un costume d'été beige. Elle l'accueille par un grand sourire et il se penche pour effleurer sa joue de ses lèvres.

Éric fait ronfler le moteur, son pied écrase l'accélérateur et l'odeur du pot d'échappement enveloppe toute la voiture.

— On y va, il dit.

Et on y va.

Qu'est-ce qu'elle sait exactement ? se demanda-t-il

tandis qu'ils reprenaient le chemin de la nationale ; le silence régnait dans la voiture, la fille regardait par sa fenêtre.

Ils n'avaient pas parlé depuis qu'ils avaient quitté la ville. Il ne savait pas quoi lui dire. Effrayé de ce qu'il risquait de lui dire. Elle l'avait poussé à engager la conversation avec cette fille. Il avait entendu l'urgence dans sa voix, comme si elle l'encourageait. Comme si elle savait ce qu'il allait faire et s'en fichait. Elle avait dit qu'elle l'aimait — l'amour pouvait-il aller jusque-là ?

En réalité, il était soulagé maintenant de l'arrivée du type à la mallette qui lui avait évité de prendre une décision. La situation était pleine de dangers. En plein jour, dans une ville inconnue. La fille dans la camionnette, quasiment un témoin. Pourtant, le besoin était si fort en lui qu'il aurait pu capituler, commettre une erreur désastreuse.

— Je prendrais bien une douche, dit la fille en rompant enfin le silence. Je me sens toute poisseuse...

Il la regarda ; son visage était dépourvu de toute ruse.

Ses pensées s'accélérèrent. Il fallait trouver une solution, un plan d'action.

— On peut s'arrêter dans un motel ce soir. Tu pourras te doucher autant que tu voudras.

Et il ajouta :

— Ne t'inquiète pas, on prendra des lits jumeaux. Et puis on pourra aller au restaurant.

Le dernier repas du condamné, pensa-t-il lugubrement. Et puis, plus tard, dans la nuit, un adieu paisible. Avec un oreiller peut-être, rapide, silencieux.

— Tu sais ce que j'aimerais manger ? dit-elle d'un ton

gourmand. De la vraie dinde rôtie, comme à Thanks-
giving…

– Il fait trop chaud, dit-il. Et puis je croyais que les
filles aimaient les salades, les trucs comme ça…

Cette conversation idiote sur la nourriture lui plaisait.

– La fille là-bas… Elle était tellement belle, reprit-
elle. Bien habillée. T'as remarqué sa tenue ? J'adorerais
avoir des habits comme ça, un jour…

Elle dit ça d'un ton mélancolique, presque triste.

– Pourquoi un jour ? Pourquoi pas aujourd'hui ?

Il se sentait déborder de générosité, sachant qu'il
tenait la vie de cette fille entre ses mains, qu'il avait le
pouvoir de la rendre heureuse ou triste. Dans l'immé-
diat, pourquoi ne pas la rendre heureuse ?

– On va trouver une boutique dans la prochaine
ville, dit-il. Et on va acheter plein de trucs.

Dans la boutique, tout était noir et blanc, des rayures
du mur jusqu'aux volutes du carrelage. La femme qui
s'avança du fond du magasin était entièrement vêtue de
noir, ce qui attira l'attention d'Éric sur la mèche
blanche qu'elle avait dans les cheveux.

– Une robe, lui dit la fille d'une petite voix menue.

La femme jaugea la fille d'un œil aussi impersonnel
que celui d'un radiesthésiste. La fille lança à Éric un
regard suppliant : aide-moi, imploraient ses yeux.

Éric eut un geste prodigue.

– Prends aussi d'autres choses. Des trucs chic, quelques chemisiers…

– Des hauts, corrigea l'employée en le dévisageant
d'un seul regard avant de l'ignorer définitivement.

Tandis que la fille parcourait le rayon des robes, il fut frappé par l'ironie de la situation. Elle n'aurait jamais l'occasion de porter ces habits pour aller à une fête ou à un rendez-vous. Ces achats constitueraient un véritable gaspillage, en réalité. Pourtant, l'idée de dépenser de l'argent pour elle lui plaisait.

La fille disparut dans la cabine d'essayage, deux ou trois robes sur le bras, après lui avoir jeté un sourire ravi. La vendeuse s'approcha de la vitrine et regarda dehors, l'ignorant délibérément et jetant un œil à sa montre de temps en temps.

La fille réapparut brusquement, radieuse, dans une robe aveuglante à fleurs rouges et jaunes. Les joues roses, les yeux brillants, elle demanda :

— Qu'est-ce que tu en penses ?

Il savait que ce qu'il en pensait n'avait pas d'importance. Il était clair que cette robe criarde qu'elle ne porterait jamais lui plaisait.

— Très joli, dit-il.

Cela ne coûtait rien de dire ça. Il étala son vieux sourire, charme et timidité, qui marchait toujours.

Elle acheta d'autres choses aussi : deux ou trois hauts, une petite jupe beige courte, trop courte, se dit-il, stupéfait de voir à quel point ses goûts étaient contraires aux siens.

Il aperçut un grand chapeau blanc sur la tête d'un mannequin sans visage qui rappelait celui que portait la fille de la barque. Il l'ôta du mannequin et l'apporta à la fille à deux mains, comme une offrande.

— Oh, Éric ! cria-t-elle de joie.

Pendant ce temps, la vendeuse regardait le plafond

ou le sol mais jamais eux. Quand Éric sortit une liasse de billets de vingt dollars pour régler les achats, elle eut un mouvement de recul. «En liquide?» On aurait dit qu'elle prononçait un mot étranger.

— Gardez la monnaie, dit Éric, conscient de la stupidité de ce qu'il venait de dire, malgré le mépris qu'il souhaitait communiquer.

La vendeuse, enfin, leva les yeux sur lui. Éric lui sourit, un sourire plein de promesses et de menaces, et il la vit tressaillir. Mets ça dans ta poche et ton chapeau par-dessus, se dit Éric en sortant du magasin avec la fille.

Une fois dehors, elle dit:

— J'aurais dû me laver avant. Je me sens toute dégueulasse.

— T'inquiète pas.

Ils achetèrent un sèche-cheveux dans un bazar parce qu'elle avait déclaré que ses cheveux seraient en désordre si elle les lavait sans les sécher.

— Et si tu prenais du parfum? suggéra-t-il comme ils passaient devant des pyramides de jolies boîtes bleues, vertes — une odeur de fleurs flottait dans l'air.

— J'aime bien l'odeur du savon, dit la fille. Et puis, tu dois pas dépenser tout ton argent.

Elle effleura son bras et cela lui parut un geste intime, comme s'ils se fréquentaient depuis longtemps déjà et qu'ils mettaient de l'argent de côté pour une bague de fiançailles. Comme dans tous ces films idiots qu'il avait vus.

Arrivée au motel, elle jeta ses boîtes et ses sacs en plastique sur le lit qu'elle avait choisi et soupira, en recrachant l'air par les commissures des lèvres.

— C'est l'heure de la douche, annonça-t-elle. Après ça, je te ferai un défilé...

En l'attendant, il fixa l'écran vide de la télévision et écouta le bruit de l'eau qui giclait du pommeau de douche avec, par-dessus, une voix – chantait-elle? Il se rappela comment, à l'institution, il restait assis comme ça pendant des heures, à essayer de maintenir son esprit aussi vide que l'écran devant lui. Puis il remplit ce vide avec l'image de Maria Valdez, mate et sombre, en se demandant à quoi elle ressemblait sous la douche avec l'eau courant sur son corps svelte et ses cheveux noirs plaqués sur sa peau.

— Ne regarde pas, ordonna la fille en envahissant la chambre d'une odeur propre et fraîche de pin.

Il écouta le frou-frou des vêtements qu'elle enfilait et repensa avec stupéfaction à la succession d'événements qui l'avait conduit ici, dans cette chambre, des événements tellement différents de ceux qu'il imaginait pour sa première journée de véritable liberté.

— C'est bon, dit-elle. Tu peux te retourner maintenant...

Elle portait une robe qu'elle ne lui avait pas montrée dans la boutique, blanche, rutilante de paillettes, un genre de robe de bal étincelante qui lui arrivait jusqu'à la cheville.

Ses cheveux blonds étincelaient eux aussi, lâchés, épais, tombant sur ses épaules. Elle était pieds nus, ce qui lui donnait l'air trop jeune pour la robe, comme une petite fille qui aurait passé les vêtements de sa mère. À part la rondeur de ses seins.

Elle tournoya devant lui, imitant probablement des actrices qu'elle avait vues au cinéma, ses cheveux tourbillonnaient aussi, et ses yeux brillaient autant que les paillettes de sa robe.

Soudain elle s'arrêta et déclara :

– Éric, je t'aime. Pas parce que tu m'as acheté tout ça, mais parce que…

Il porta un doigt à ses lèvres.

– Chut.

Plus tard, au restaurant en face du motel, elle avoua :

– Je savais bien que cette robe à fleurs ne te plaisait pas. C'est pour ça que j'ai choisi la blanche.

Il fut soufflé de sa capacité à lire dans ses pensées, à voir derrière l'expression de son visage, à ne pas se laisser prendre au célèbre charme poolien. Une raison supplémentaire de l'éliminer.

En dessert, elle commanda un gâteau au chocolat nappé de crème Chantilly mais elle repoussa son assiette encore à moitié pleine. Tout avachie, elle déclara :

– Je suis crevée. La journée a été longue.

Il acquiesça et fit signe à la serveuse d'apporter l'addition.

– Mais elle a été plutôt bonne, en fin de compte, hein, Éric ?

Elle cherchait son approbation du regard.

– Oui, répondit-il.

Ce n'était pas le moment de dire la vérité.

Allongé dans son lit, il attendit qu'elle s'endorme. Il n'eut pas à attendre longtemps. Comme une enfant, elle se recroquevilla sous les draps en bâillant, murmura «Bonne nuit, Éric» et puis elle plongea dans le sommeil, une main glissée sous le menton, laissant échapper au bout d'un moment des petits ronflements réguliers.

Il éteignit la lampe qui se trouvait près de son lit et laissa ses yeux s'accoutumer à l'obscurité. Les événements de la journée le rattrapaient et des images surgissaient dans son esprit. Le van, la route, le parc et surtout cette fille qui était entrée dans sa vie, avait bousculé ses projets, le forçait à accomplir l'inattendu. Pourtant, il lui était reconnaissant d'une certaine manière. Elle lui avait rouvert les portes du monde des humains et préparé à des situations de rencontres, aux conversations, aux promenades dans les parcs. Il était content de lui avoir acheté des vêtements, d'avoir insisté pour qu'elle prenne du gâteau au chocolat en dessert. C'était peu de chose pour la remercier.

La fille remua et il la regarda dans la pénombre. Des rais de lumière filtrés par les stores vénitiens striaient son corps. Sa respiration vibrait, profonde. Les ronflements s'arrêtèrent et elle murmura en rêve des paroles qu'il ne parvint pas à comprendre. Le réveil indiquait 1:07. Ce qui l'étonna. Il avait dû s'assoupir sans s'en apercevoir.

Il revit son plan mentalement, estima de nouveau

les risques encourus. Il y avait toujours des risques, bien sûr, et il avait appris à les accepter car ils faisaient partie de son mode de vie. Le risque principal consisterait à transporter son corps jusqu'à la camionnette, même s'il avait tout fait pour le minimiser. Il avait insisté pour prendre une chambre située tout au bout du motel. Il avait reculé en marche arrière jusqu'à la porte de la chambre. Il n'avait pas fermé la portière afin d'en faciliter l'accès. Il lui faudrait moins d'une minute pour parcourir les quelques mètres en portant son corps et le placer à l'intérieur. Il avait déjà dévissé l'ampoule de la lampe située près de la porte. Il se débarrasserait de son corps ensuite, selon la méthode traditionnelle.

À la fin, il s'assit dans son lit et chercha son oreiller à tâtons. Ses pieds nus touchaient le sol, la moquette était douce, il ne faisait aucun bruit. Il s'immobilisa alors, compta lentement jusqu'à cinquante en écoutant la fille respirer. Elle avait repoussé ses draps. Son tee-shirt était remonté au-dessus de son ventre et révélait sa peau d'une pâleur de lune et le creux de son nombril. Il avança et son ombre dissimula momentanément son corps.

Il leva l'oreiller devant lui comme un bouclier. C'est comme ça qu'il avait expédié sa mère. A priori la façon la plus douce de s'y prendre – on ne voyait pas le visage de la personne pendant qu'elle se débattait. Et elle ne se débattait pas longtemps.

Arrivé près de son lit, penché au-dessus d'elle, il se prépara, écarta les jambes afin d'assurer ses appuis. Son corps était baigné dans une lumière blafarde.

Au moment où il levait l'oreiller, elle ouvrit les yeux d'un seul coup et le regarda fixement.

Puis les yeux écarquillés de terreur, sa bouche qui s'ouvre comme si elle hurlait en silence.

Ils se regardèrent – combien de temps, Éric ne savait pas.

Brusquement, son visage se détendit.

– Tu ne sais pas que je t'aime? demanda-t-elle, comme si cela pouvait l'arrêter, et tout arranger.

Elle ferma les yeux et soupira :

– Bon, alors vas-y. Fais-le.

Il baissa l'oreiller, resta debout près du lit, les jambes chancelantes. Le fantôme d'une voiture passa devant le motel, et le bruit du moteur mourut dans le lointain.

Il laissa tomber l'oreiller par terre.

Se redressant sur un coude, elle leva les yeux vers lui.

– Tu allais vraiment le faire? demanda-t-elle.

– Oui, répondit-il.

Mais au fond de mon cœur, là où ça compte vraiment, je sais qu'il ne l'aurait pas fait. Pendant un moment, oui, j'étais terrifiée, sans même avoir vu l'oreiller, rien qu'à voir son visage pâle et froid comme les visages sur les pièces de monnaie. C'est l'oreiller qui a déclenché la terreur et maintenant je me demande si j'ai crié. Je ne crois pas, parce qu'il est resté là et a laissé retomber l'oreiller et maintenant je sais que je ne risque plus rien. S'il ne l'a pas fait ici, dans un motel tranquille loin de tout, quand est-ce qu'il le fera? Jamais, je me dis, et lui, toujours debout, continue à me regarder.

Je veux entendre sa voix, l'entendre parler.

– Tu ne l'as pas fait parce que tu ne pouvais pas.

Il ne dit toujours rien.

– Tu crois que tu pouvais?

Le calme de ma voix me surprend parce qu'à l'intérieur je tremble, mon estomac gargouille et mon cœur bat contre mes côtes.

Une ride apparaît sur son front comme des gribouillis sur du papier blanc.

– Non, il finit par dire, je ne pouvais pas.

– C'est parce que je t'aime, et tu le sais. Je ne suis pas comme les autres filles...

Je pense à la fille de la voie de chemin de fer et à celles dont le journaliste m'a parlé.

Sa ride s'accentue et je me demande si je ne suis pas allée trop loin, mais je me dis que je n'ai rien à perdre. C'est comme si je ne pouvais pas m'arrêter de parler, comme si la peur m'avait donné un sursaut d'énergie. La peur a disparu mais mon sang grésille dans mes veines, comme des aiguilles qui me piqueraient de l'intérieur.

– Je t'aimerai toute ma vie, Éric. Et je ne te trahirai jamais...

«Non», dit-il en balayant mes mots d'un geste, sa main ressemble à un oiseau pâle dans la pénombre. Puis il retourne vers son lit, se glisse dans les draps qu'il remonte sur lui, et me tourne le dos.

Je suis réveillée, j'écoute les battements de mon cœur, plus lents maintenant, et je me repasse dans la tête les mots que j'ai prononcés en me demandant si c'est la vérité – est-ce que je l'aime vraiment? – ou bien est-ce que j'ai dit n'importe quoi parce que j'étais déboussolée, terrifiée et excitée en même temps?

Tu sais ce que tu devrais faire: partir d'ici, attendre qu'il s'endorme et t'enfuir le plus loin possible.

Mais je repense aux courses qu'on a faites, à la robe

qu'il m'a achetée, même qu'il voulait m'offrir du parfum en plus. Et le gâteau au chocolat en dessert.

Ma tête et mon corps commencent à planer sur le matelas transformé en nuage moelleux, j'ai tellement sommeil, c'est une fatigue très douce qui ramollit tous mes os et je m'abandonne au sommeil, et à l'oubli, et à tout ce qui pourra se passer pendant cet oubli.

Assis dans le restaurant du motel, ils attendaient qu'on leur serve le petit-déjeuner. C'était pas vraiment un restaurant d'ailleurs, plutôt un *coffee shop* et le petit-déjeuner se résumait à café et beignet, petit pain ou pâtisserie.

La table à laquelle ils étaient assis, lui et la fille, était bancale et elle bascula quand il appuya ses coudes dessus. Il sentit le regard de la fille sur lui et détourna les yeux mais il n'y avait pas grand-chose à voir. Deux ou trois camionneurs penchés sur leur café, une serveuse qui filait de table en table – une femme d'un certain âge, surmenée, un tablier taché collé aux cuisses.

Les yeux de la fille le dérangeaient, à le regarder d'un air implorant, pleins de cette chose qu'il ne voulait pas y voir. Il s'était attendu à la retrouver apeurée, ce matin. Au lieu de ça, ce regard tendre. Il détourna de nouveau les yeux vers la route, où une brume de chaleur s'était déjà formée, comme de la vapeur sortie de la bouilloire.

Il attendait que la fille dise quelque chose mais il ne voulait pas l'entendre. Elle avait à peine parlé ce matin, tout juste murmuré «Bonjour» en s'habillant, insouciante de son corps comme d'habitude, révélant un bout de cuisse, le mouvement de ses seins.

Il s'était habillé à la hâte puis enfermé dans la salle de bains, après avoir aperçu du coin de l'œil son regard posé sur lui. Il avait pris son temps pour se raser, repassant délibérément le rasoir sur son visage jusqu'à ce que sa peau devienne sensible au toucher. Quand il était ressorti de la salle de bains, elle était près de la porte, une main sur la poignée.

Tandis qu'ils attendaient leur commande dans le *coffee shop*, elle dit:

– Est-ce que tu pourrais me regarder, s'il te plaît? Tu me donnes l'impression de ne pas être là.

Il posa ses yeux sur elle. «Voilà, c'est mieux», fit-elle comme la nourriture arrivait: jus d'orange et beignet à la confiture pour elle, café au lait sucré pour lui qui essayait toujours de s'adapter au style post-maison d'arrêt.

– Je t'aime, dit-elle d'un ton neutre comme si elle parlait du temps qu'il faisait, tout en prenant une énorme bouchée de beignet, la confiture lui dégoulinait sur les doigts.

– Ne dis pas ça, s'il te plaît.

Ce qu'il voulait vraiment dire, c'était: Je t'ai presque tuée, la nuit dernière, tu n'as donc pas compris? Et je peux encore le faire.

– Pourquoi tu n'es pas partie quand je me suis endormi? demanda-t-il. Tu aurais pu te sauver. Prendre de l'argent dans mon portefeuille…

– J'y ai pensé, admit-elle. Mais je voulais rester avec toi. Tu es la première personne qui me traite avec respect. Et j'ai confiance en toi…

Il sirota son café en s'émerveillant de son innocence, de son empressement à lui accorder sa confiance après tout ce qui s'était passé. Mais qu'est-ce qui s'était passé? Rien, en vérité. En la voyant lécher un peu de confiture qu'elle avait sur la joue, il se demanda ce que ça lui ferait de lécher cette trace de confiture, de sentir son corps contre le sien, mais pas comme avec les autres, en s'arrêtant avant d'avoir terminé. Peut-être y aurait-il de la tendresse dans tout ça. Ses rêveries l'inquiétèrent: Qu'est-ce qu'il se passe, ici? Pourquoi je pense à ça?

— Donne-moi une chance, dit-elle. Je ne parlerai que quand tu me parleras. Je ne t'embêterai pas avec mes questions.

Un petit sourire apparut sur son visage, teinté de malice.

— Qui sait? Peut-être que j'arriverai à me faire une petite place dans ton cœur. (Puis, sérieuse de nouveau.) Je ne m'attends pas à ce que tu m'aimes. Mais sois tendre. (Elle reprit une bouchée de beignet.) Je suis encore vierge, techniquement...

Malgré lui, alors qu'il ne voulait pas poursuivre la conversation avec elle et encore moins parler de sa virginité, il ne put s'empêcher de demander:

— Qu'est-ce que tu veux dire, techniquement?

— Je veux dire que je n'ai jamais couché avec quelqu'un. Jamais eu de rapports. Mais on m'a touchée. Et embrassée, un peu partout. Enfin, pas partout...

Les joues de plus en plus chaudes, il constata encore une fois avec étonnement à quel point elle parvenait à le surprendre, à le maintenir aux aguets, à le déstabiliser. Et maintenant, il y avait comme une excitation insoupçonnée associée à la surprise. Elle avait dit: Sois tendre.

— Je ne veux pas parler de ça, dit-il platement.

La serveuse les interrompit pour remplir de nouveau sa tasse de café sans qu'il ait rien demandé.

— C'est une tasse sans fond, dit-elle en en renversant un peu sur la table.

— J'espère que ça ne te gêne pas que je raconte ça, dit la fille en mâchant la dernière bouchée de son beignet.

Il eut envie de lui dire : «Ne parle pas la bouche pleine» comme on dit aux enfants, comme lui disait sa mère quand il était tout petit. Un ordre teinté d'affection. Avant qu'elle rencontre Harvey. Cela faisait longtemps qu'il n'avait pas repensé à ces moments tendres, ces moments partagés avec sa mère, pelotonnés ensemble dans le lit pendant qu'elle lui racontait une histoire et après, ses cheveux qui tombaient sur sa joue à lui, son parfum qui envahissait ses pores, devenaient une partie de lui-même.

— Ça va ?

Il ne répondit pas, entendit sa voix dans le lointain, il pensait à sa mère, à sa présence quasi palpable comme si pendant la nuit, au cours d'un rêve dont il ne se souvenait pas, une porte s'était ouverte et qu'elle en avait franchi le seuil obscur. Il se rappela des nuits sombres, enveloppé dans ses longs cheveux noirs, les lèvres de sa mère qui parcouraient son corps... mon amour... Éric... mon amour...

— Éric...

Il entendit la voix de la fille venue de très loin.

— Oui ?

— Tu te souviens de ce que je t'ai dit la nuit dernière ?

— Qu'est-ce que tu m'as dit ? demanda-t-il en se forçant à revenir dans le présent : le *coffee shop*, ici et maintenant.

Sa mère avait disparu de ses pensées, comme une volute de fumée emportée par le vent.

— Tu sais...

Sa bouche forma les mots en silence : « Je ne te trahirai jamais. »

Il comprit qu'elle savait tout de lui mais qu'elle s'en fichait.

— Allons-y, dit-il sans avoir touché à sa deuxième tasse de café.

Les fenêtres étaient ouvertes et un vent soudain rafraîchissait l'atmosphère, tandis qu'il conduisait la camionnette sur les petites routes, en évitant les nationales et les villes.

À côté de lui, la fille avait l'air satisfait. Après le petit-déjeuner, elle s'était douchée et avait enfilé un de ses nouveaux hauts, vert vif, assorti à ses yeux. Son nouveau short en jean était plus long que le précédent et lui arrivait à mi-cuisses.

Il prenait plaisir à rouler dans la campagne, parmi les pâturages et les prairies, et il ralentit pour voir les vaches paître dans un grand champ. En traversant les villages, il était content de voir les clochers blancs des églises, les mairies, les vieux monuments aux morts de la guerre civile et les canons.

Avec la fille, ils ne se disaient pas grand-chose, quelques commentaires brefs sur le paysage qui passait, et pourtant il avait l'impression qu'ils communiquaient. Je ne te trahirai jamais.

En passant devant une cabine téléphonique, il repensa à Maria Valdez, à son envie de la voir, aux promesses que détenait son corps.

— Il faut que je passe un coup de fil, dit-il.

— C'est une fille ?

— Qu'est-ce qui est une fille ?

Expression ennuyée, impatiente sur son visage.

– Oui, répondit-il. C'est une fille…

– Eh bien, appelle-la. Vois-la. Ne te gêne pas pour moi.

Son visage s'éclaira et elle prit une voix légère, enjouée.

– Ça ne m'ennuie pas de te partager. J'essaierai de ne pas être jalouse. Bon d'accord, je serai un tout petit peu jalouse…

– Arrête, fit-il.

Il n'était pas d'humeur pour ces badinages futiles. Il n'y avait pas de quoi plaisanter. S'il voyait Maria Valdez, sa Señorita, les conséquences n'auraient rien de drôle. Et cette fille serait impliquée.

Il lui jeta un coup d'œil et vit que son visage s'était assombri, les yeux baissés.

– Désolée, dit-elle. Je veux juste que tu fasses ce que tu as envie de faire. J'ai vu une station de cars dans le dernier village. Tu n'as qu'à arrêter la voiture et me laisser descendre.

– C'est un van, pas une voiture.

– Peu importe, laisse-moi descendre. Oublie-moi et je t'oublierai. Enfin, je me forcerai à t'oublier. Et tu n'as pas à t'inquiéter. Il ne s'est rien passé, non ? Tu n'as rien fait. Tu m'as prise en stop. Tu m'as très bien traitée. Tu m'as acheté des habits. Tu ne m'as même pas touchée, il n'y a pas beaucoup de gens qui peuvent en dire autant. Alors, laisse-moi sortir, laisse-moi partir…

– Non.

– Pourquoi non ?

– Parce que…

Pour beaucoup de raisons.

Il se sentait plus en sécurité avec elle à ses côtés. S'il la laissait partir maintenant, il ne savait pas où elle irait ni ce qu'elle ferait. C'était une grenade dégoupillée qui pouvait exploser à n'importe quel moment. Un lien entre lui et Alicia Hunt. Il la regarda de nouveau et vit que son nouveau haut était plus large que celui d'hier et ne projetait pas ses seins en avant. Elle avait replié ses jambes sous elle. Bien. Les choses étaient assez confuses comme ça sans que son corps lui joue des tours, en plus.

– Parce que quoi?

Comme il ne répondait pas, elle ajouta:

– J'ai vu une cabine téléphonique il n'y a pas long-temps. T'as qu'à y retourner. Et l'appeler...

Éric continua à rouler; il trouverait une cabine en temps voulu. En attendant, il laissa Maria Valdez et ses promesses emplir son corps et son esprit.


Maria Valdez répondit immédiatement d'une voix essoufflée, comme si elle attendait son appel à côté du téléphone. «Allô?» Derrière elle, une musique hurlait, un enfant pleurait ou criait, il ne savait pas bien. Son enfant? Cette éventualité le stupéfia. Il ne pouvait pas se représenter sa Señorita portant un enfant sur la hanche.

«Une minute», dit-elle, des mots adoucis par son accent, le «t» de «minute» à peine audible. Une odeur d'essence emplit ses narines: la cabine se trouvait à côté d'une station-service.

De retour à l'appareil, elle dit:

– Je garde un bébé. Le bébé de ma sœur, pendant qu'elle est chez le coiffeur.

Elle s'arrêta, puis demanda d'une voix hésitante:

– C'est toi?

– C'est moi, dit-il, et le rythme de son cœur accéléra.

– Où es-tu? Ça fait longtemps que j'attends ton appel.

– J'ai été retardé. Mais je ne suis plus qu'à quelques kilomètres maintenant. Dans un village qui s'appelle Piper's Crossing.

– C'est pas loin. Je peux te voir aujourd'hui? Ce soir?

Son impatience l'enflammait. Il détourna son visage pour que la fille dans la camionnette ne voie pas son expression.

– Tu es toujours là?

– Oui, je suis là.

Il se jeta à l'eau, regarda vers la camionnette, vit le visage de la fille qui souriait, hochait la tête, comme pour l'encourager.

– Aujourd'hui, ce soir, quand tu veux.

Il savait qu'il parlait trop vite, montrait trop d'impatience, mais sa voix l'excitait, l'affolait. Il serra les cuisses pour dissimuler ce qui lui arrivait.

– Plus tard, alors. Ce soir, dit-elle.

Parfait. Il préférait le soir pour ce qui allait se passer, car le soir pouvait faire place à la nuit.

– Il y a une fête foraine en ville, un lieu qui s'appelle Prospect Park, reprit-elle de sa voix grave et indolente. Il y a un manège, ça me rappelle quand j'étais petite fille. J'apporterai un pique-nique. On peut faire un tour de manège et puis aller pique-niquer. Je connais un endroit dans les bois où on pourra être tranquilles tous les deux...

Dans sa voix, dans les paroles qu'elle prononçait, il

entendait la réponse à tous ses désirs, toutes ses envies, au besoin de tendresse qu'il avait étouffé pendant tous ces longs mois passés en détention, et à ses visions nocturnes jamais à la hauteur de la réalité.

L'enfant pleura au loin et Maria Valdez l'apaisa.

— Où est-ce que je viens te chercher? demanda-t-il.

— Vaut mieux qu'on se retrouve là-bas, dit-elle. Ma famille, ils me surveillent, ils veulent pas que j'aie à nouveau des ennuis, si vite. Ma mère, c'est un vrai chien de garde.

Elle lui indiqua comment se rendre à Prospect Park. C'était simple: on apercevait les bois depuis la Route 21, la nationale qui reliait Piper's Crossing à Barton, sortie numéro 25.

— Mon amie Anita me déposera si tu veux bien me ramener.

Et puis, d'un ton presque formel, comme si elle avait répété ces paroles en prévision de leur rencontre:

— Ça me fera très plaisir de te voir de près, Éric Poole.

Il ferma les yeux en pensant à ses longs cheveux noirs, sa gorge blanche, son corps svelte, sa peau mate. Et à la tendresse.

Dans la camionnette, la fille l'accueillit avec un grand sourire:

— Je vois que ça a marché...

Il ne répondit pas, troublé, encore sous l'emprise de la voix de Maria Valdez, de l'imminence de leur rencontre et de tout ce qui était possible.

— Alors? Quand ça? demanda la fille.

Il répondit enfin. «Tout à l'heure.» Il entendit les tremblements dans sa voix.

Les fêtes foraines m'intimident toujours. Une fois, j'y suis allée avec ma mère et Dexter qui voulait frimer et montrer comme il était fort et courageux, assis au premier rang de la voiture des montagnes russes, sans se tenir, à agiter les deux mains au-dessus de la tête quand elle plongeait dans les pentes les plus escarpées, et moi j'espérais, tout en me sentant un peu coupable, qu'il dégringole et s'écrase sur le sol à nos pieds. Après, il n'arrêtait pas de frapper du poing dans la paume de sa main parce que cette fête foraine-là n'avait pas de stands où on tape sur un truc avec un maillet pour faire sonner la cloche et qu'il ne pouvait pas se vanter d'être le plus fort.

Il n'arrêtait pas de me pousser à faire des tours avec lui sur les machines mais je résistais. Elles me faisaient trop peur. Il a promis de m'acheter toutes les glaces et tout le soda que je voulais ou n'importe quoi d'autre, mais je faisais non avec la tête. À la fin, on est arrivés près de la grande roue et j'ai fini par accepter d'y aller mais toute seule. Je ne voulais pas qu'il soit assis à côté de moi, près de moi. J'ai découvert que j'adorais la grande roue, la façon dont on s'élève et on arrive au sommet, plus haut que les arbres et les immeubles autour; prochain arrêt, le ciel. Balancer mon siège en haut quand la roue s'arrête et qu'on entend à peine la musique dans le lointain, ça ne me fait pas du tout peur, j'ai l'impression d'être un ange qui regarde le monde d'en haut.

C'est pour ça que je me dirige vers la grande roue après avoir vu Éric partir avec Maria Valdez. Il a fini par me dire son nom il y a quelques minutes, pendant qu'on approchait de la fête foraine. On a passé une bonne journée à se balader en voiture, on s'est arrêtés de temps en temps pour regarder le paysage, on a mangé des Big Mac dans un McDo, on n'a pas dit grand-chose. L'après-midi, on est allés au bord d'un lac et on a regardé les gens nager ou prendre des bains de soleil, et les bateaux qui glissaient sur l'eau. Je lui ai posé des questions sur la prison, et il m'a répondu que ce n'était pas une prison mais une institution pour jeunes délinquants et aussi qu'il n'avait pas envie d'en parler. Il m'a posé des questions sur ma vie et j'en ai inventé une exprès pour lui en parlant de l'école, de la musique et des livres que j'aimais mais pas de mes obsessions ou de Gary ou des autres trucs qui me sont arrivés. Je lui ai dit que ma mère était coiffeuse et mon père pompier et qu'il était mort en sauvant des enfants d'un incendie, des mensonges mais pas complètement, plutôt des rêves que je rends réels pendant quelques minutes en les racontant à voix haute.

Juste avant d'arriver à la fête foraine, il m'a dit:

– Un jour, Lori, j'aimerais que tu me dises la vérité.

Quand il est sorti de la camionnette pour aller à la rencontre de Maria Valdez, j'ai vu l'excitation dans ses yeux, plus que de l'excitation, cette fièvre étrange, ce désir qui le rend brusquement étranger.

Elle portait un haut blanc, en satin, crémeux comme une glace à la vanille, et ses longs cheveux noirs brillaient, pleins de paillettes. Un pantalon moulant noir qui serrait ses longues jambes. Elle a un joli visage, aussi, une peau mate avec un soupçon de rouge à lèvres comme une traînée de feu dans le lointain. J'aimerais pouvoir lui ressembler, être mince et svelte, au lieu de cette paire de seins qui se balade tout le temps.

Cette paire de seins fait visiblement un effet irrésistible sur le jeune type qui s'occupe de la grande roue. Il me regarde de haut en bas, surtout en haut. C'est un gamin, mais il a une moustache tombante et une petite barbe.

— Salut, poupée, il me dit quand je lui tends un billet de cinq dollars. (Poupée, franchement…) Ton argent ne vaut rien ici. Pas pour une jolie chose comme toi…

— Prends-le, je lui dis de mon ton le plus «on-ne-déconne-pas-avec-moi».

C'est drôle. Je m'attends toujours à ce que les hommes, jeunes ou vieux, me regardent de haut en bas et, si je souris, à ce qu'ils m'offrent des tas de trucs quasiment sans raison. Le vieux Stuyvesant buvait un coup de vin et déclarait: «Je donnerais la moitié de mon royaume pour toi» pendant qu'il faisait des trucs et je pensais que s'il en avait eu un il l'aurait fait. C'est comme si je détenais un pouvoir sur les hommes et les garçons, comme ce type de la grande roue. Donc, ça m'étonne moi-même que j'insiste pour payer, alors que j'aurais pu économiser deux dollars. Il faut penser à l'avenir.

Il prend les cinq dollars à contrecœur et jette les trois dollars de monnaie dans ma main. D'un air renfrogné, il détache la chaîne et me laisse entrer. En mettant le pied dans la cabine, je perds presque l'équilibre parce qu'elle se met à bouger sous l'effet de mon poids. Je m'assois et attache la ceinture de sécurité autour de ma taille.

– Bon voyage! il crie d'un ton plein de sarcasmes.

Dans le siège devant moi, il y a un garçon et une fille collés l'un à l'autre, la fille hurle comme elle est censée le faire, j'imagine, quand le type appuie sur la manette et qu'on part d'une saccade, tandis que l'espèce de musique de casserole spéciale aux grandes roues recommence. Je respire un grand coup et je m'abandonne à la sensation de quitter la terre, c'est une sorte de vertige mais un vertige agréable, les arbres et les immeubles reculent et le ciel s'étale devant moi quand j'ouvre les yeux. Je me balance dans le siège comme un bébé dans son berceau. En arrivant en haut, je regarde le paysage incliné et je vois Éric et Maria Valdez qui marchent côte à côte, main dans la main, en direction du coin pique-nique. Un panier se balance dans sa main libre. La jalousie me transperce quand je repense à notre coin pique-nique, avec les cygnes qui glissaient sur l'eau. Et puis je me dis: «Qu'est-ce que tu racontes, notre coin pique-nique? Ce n'était pas le tien, ni le sien – juste un endroit comme ça où vous vous étiez arrêtés au bord de la route.» Mais je me rappelle la fille dans la barque avec son grand chapeau blanc et sa main qui traînait dans l'eau. Je descends, je remonte et les deux amoureux devant sont toujours accrochés mais ils descendent au coup d'après, la fille titube, elle s'accroche au type qui sourit, il a l'air content de la guider à travers la foule.

D'autres gens montent, maintenant, des enfants avec leurs parents, un autre couple, un type tout seul qui mange du pop-corn, et on repart, je m'enfonce dans mon siège et je me laisse aller, même Éric, je le laisse sortir de ma tête, je ne veux pas penser à lui dans les bois avec Maria Valdez, à ce qu'il va se passer et je me dis qu'il ne va rien se passer, enfin, rien de mal, qu'ils vont s'embrasser, se toucher et se caresser, et comme je ne veux pas aller plus loin dans mes pensées, je me berce dans mon siège et je m'abandonne à cet instant, à la musique faible, puis forte quand on remonte et redescend, et aux lumières qui commencent à s'allumer, au crépuscule qui adoucit le monde entier. Je jette un coup d'œil au coin pique-nique, Éric et Maria Valdez n'y sont pas mais pourquoi y seraient-ils ? Je sais bien que ni l'un ni l'autre ne pensait vraiment à manger et je les imagine dans les bois avec l'obscurité qui vient et je me dis, s'il te plaît, ne pense pas à ça.

La grande roue s'arrête d'un coup et je suis tout à fait en haut, le siège se balance à cause de l'arrêt brusque. Dans les autres sièges, des gosses rigolent et montrent des choses du doigt et je suis au-dessus d'eux, au-dessus de tout le reste. Je regarde les gens qui se promènent en bas. Un ballon s'envole, il a glissé de la main d'un enfant, il monte, passe près de moi, presque à ma portée – ce serait super, non, de rattraper le ballon d'un enfant qui pleure, tout en bas ?

Je regarde la route et je remarque une camionnette marron garée près de l'entrée du parc. Cette camionnette évoque un vague souvenir mais je n'arrive pas à savoir quoi. Debout, près de la voiture, un homme parle dans un téléphone portable. J'ai déjà vu cette camionnette. Je l'ai vue, mais où ? Soudain, comme une explosion dans ma tête. Je l'ai vue dans la rue, près de la maison de la tante d'Éric, c'est le van que le journaliste de Wickburg m'a montré du doigt, une voiture de police. Ils le suivent. Je comprends ce qui se passe, maintenant. Ils lui ont tendu un piège.

— Laissez-moi descendre, je hurle au machiniste en me penchant dangereusement hors de mon siège, mais ma voix se perd dans tout ce vacarme.

Je crie de plus en plus fort, mais il n'y a rien à faire avec la musique de casserole et les cris et les rires des enfants. Deux sièges plus bas, le type au pop-corn me voit et ça le fait rigoler, il doit croire que j'ai le vertige et ça l'amuse beaucoup. Je crie de nouveau et cette fois ma voix porte dans un silence soudain entre deux chansons.

— Laissez-moi descendre. S'il vous plaît. C'est important.

J'entends ma voix et l'urgence dans ma voix, et le type d'en bas aussi mais il lève la tête et sourit comme si ma situation lui plaisait.

Quatre hommes sortent du van. Ils portent des tenues de travail normales mais je suis sûre que ce sont des flics. Il y a un vieux parmi eux avec une cigarette pendue au bec, qui se dépêche pour ne pas se laisser distancer par les autres.

— Je vous en supplie, je hurle en regardant en bas de nouveau, et le machiniste fait la grimace comme s'il hésitait.

Les enfants se mettent à crier et je me lève, je perds l'équilibre, je me rattrape.

— Ne fais pas de bêtises, crie le type au pop-corn.

Un silence tombe sur la grande roue comme si tout le monde retenait sa respiration. Je m'accroche à un des câbles qui soutiennent le siège. Soudain, on entend la voix du type au pop-corn :

— Laissez-la descendre, par pitié !

Le machiniste baisse la tête et remet en route la grande roue. Je vois les types de la camionnette qui entrent dans le parc.

*<br>* *

Éric et la Señorita avaient trouvé une clairière à l'écart de la foule et du tumulte de la fête foraine; la main de la Señorita, sa hanche contre sa hanche. Il avait proposé de porter le panier du pique-nique mais elle s'y était opposée. «C'est la femme qui doit porter le repas», elle avait dit, un reste de son éducation, sans doute. Ce qui lui avait plu: c'était une fille, une femme qui savait rester à sa place.

«Pourquoi tu as la main si froide?» elle avait demandé. Éric avait été pris par surprise, il ne savait pas si sa main était froide ou chaude, sèche ou moite. «Enfin, pas vraiment froide mais pas chaude non plus», elle avait ajouté en souriant; ses dents blanches contrastaient avec sa peau brune, ses cheveux noirs tombaient en volutes, son ton était intime.

Pas besoin de s'excuser, il avait pensé en lui souriant en retour, de son sourire timide et mélancolique, tandis que son corps était envahi de douceur comme lors de la première bouchée de chocolat quand il était un petit enfant. En la voyant de près, il s'apercevait qu'elle était plus âgée qu'elle n'en avait l'air de l'autre côté du réfectoire et qu'elle était très maquillée.

– C'est joli et calme, ici, dit-elle en regardant autour d'elle.

De l'herbe par terre, des buissons touffus et des broussailles qui entouraient l'endroit.

— Il n'y a pas de table de pique-nique mais on peut manger plus tard, dit-elle en posant le panier sur l'herbe et en étirant les bras vers le ciel, ses yeux noirs toujours sur lui.

On entendait la musique de la fête foraine au loin, mais leur endroit était baigné de silence, protégé par de grands arbres.

Il la regarda avec tendresse et sentit l'excitation monter en lui. Cela faisait si longtemps qu'il attendait cet instant, attendait d'être enfin seul avec la Señorita ; son cœur se mit à battre plus fort, sa bouche à saliver, au point qu'il lui était difficile d'avaler. Elle se laissa tomber sur le sol gracieusement, comme un pétale, et reposa sa tête sur le panier, le visage dressé vers lui, l'ombre d'une langue rose entre ses lèvres.

Il sentit ses doigts s'agiter, leur contrôle lui échappait. Il se dirigea vers elle en rejetant toutes les pensées, tous les risques, toute prudence, plongeant dans l'intimité du moment et de toutes les promesses qu'il contenait.

— Éric !

Il entendit prononcer son nom, comme un écho dans sa tête, lointain, un vague agacement qu'il repoussa d'un coup, il ne voulait pas gâcher ce moment. Il se pencha vers la Señorita qui s'offrait à lui maintenant, bras et visage tendus.

— Éric !

De nouveau cette voix, cette intrusion, non plus distante comme dans un rêve mais proche, pressante, qui rompait l'intimité. Il entendit le craquement des branches d'arbres et le frottement des buissons qu'on écarte. Et puis :

– Non!

Le mot le frappa comme un instrument contondant, le força à s'arrêter, comme en suspens. Aussitôt, il s'immobilisa, passa du chaud au froid, le cœur figé, les jambes raides.

– Ne la touche pas.

La voix de la fille était toute proche maintenant

L'instant d'après la fille surgit des bois, apparut en pleine vue, les cheveux en bataille, le souffle court:

– Éric, c'est un piège. Les flics... Ils sont là... Y en a partout...

Il laissa échapper un gémissement et vit Maria Valdez attraper le panier, le placer devant elle comme un bouclier et s'esquiver, les lèvres pincées, tout charme enfui, tout pouvoir de séduction envolé.

Avant qu'il puisse bouger et quitter cet endroit, le vieil inspecteur Proctor débarqua dans la clairière en écartant les branches, la respiration lourde, suivi par trois hommes, des flics visiblement. L'un d'eux parlait à voix basse dans un téléphone portable. Le vieil inspecteur contempla Éric d'un œil torve, la lèvre relevée de dégoût.

Éric sentit son sang battre dans ses tempes, ses joues devenir chaudes. *Elle m'a trahi.* Il regarda frénétiquement autour de lui, il se sentait pris au piège. Il n'avait jamais été pris au piège. Avait toujours maintenu un contrôle de la situation. Face à l'inspecteur, il essaya d'esquisser le vieux sourire, de remettre le Charme en route, mais ses lèvres étaient dures comme du plastique. Il tenta de les humecter avec sa langue mais sa bouche était sèche.

– Toujours le même monstre, Éric, hein?

Éric avala péniblement, il fallait qu'il dise quelque chose, qu'il reprenne le contrôle.

— Des insultes, toujours des insultes, finit-il par répondre, soulagé de pouvoir parler, de trouver les mots pour répondre au vieux flic. Mais les insultes ne me font rien, inspecteur.

En réalité, il voulait dire : *Je ne suis pas un monstre.* Les monstres sortent des bois la nuit et rôdent dans les cimetières dans le noir à la recherche de leurs victimes. Moi, je suis Éric Poole. Comme il est joli, votre petit garçon, madame Poole...

— Il n'a rien fait, dit la fille en s'avançant vers le vieux flic d'un air de défi, toujours à bout de souffle, les cheveux dans tous les sens, mais le défiant pourtant.

L'inspecteur se tourna vers elle.

— Entrave à un policier dans l'exercice de ses fonctions, mademoiselle. Ça pourrait vous causer des ennuis. Mineure et fugueuse.

— Elle n'a rien fait non plus, déclara Éric en retrouvant son assurance, tandis que la fille le regardait d'un air reconnaissant.

Sans lui prêter attention, le vieux flic dit à la fille :

— On peut vous emmener à la brigade des mineurs, ils s'occupent des gamins. Pour vous protéger.

Il fit un signe de tête en direction d'Éric, comme pour dire : vous protéger de lui. Puis d'une voix plus douce, il ajouta :

— Ou on peut vous aider à rentrer chez vous...

Sans prévenir, la fille s'élança d'un mouvement brusque, comme un boulet de canon, heurta brutalement un buisson, tomba sur un genou, se releva, disparut d'un bond.

— Rattrapez-la, ordonna l'inspecteur, et deux des flics s'élancèrent à sa poursuite.

L'inspecteur se détourna, alluma une cigarette en protégeant la flamme de ses mains. La musique de la fête foraine s'amplifia dans l'obscurité croissante, comme si quelqu'un avait monté le volume.

— Je suis libre d'y aller, n'est-ce pas, inspecteur ? demanda Éric, incapable de dissimuler le sarcasme dans sa voix.

— Tu peux y aller, Éric. Mais tu n'es pas libre. Tu ne seras jamais libre...

Éric secoua la tête.

— Vous n'abandonnez jamais, hein ? Vous vous trompez complètement. Je n'ai pas touché à cette fille. Je me suis occupé d'elle. Je vais la ramener chez elle...

Les deux flics réapparurent, les joues rouges, hors d'haleine.

— Pas pu la retrouver, inspecteur, dit le flic au téléphone. Il y a des tonnes d'endroits où elle peut se cacher dans ces bois...

— Tu as intérêt à ce que rien ne lui arrive, déclara le vieux flic. La moindre chose et c'est la fin. Même si on ne retrouve pas le corps.

— Rien ne lui arrivera, dit Éric.

Le vieux flic avait l'air plus vieux que jamais, maintenant, si c'était possible, et son visage ressemblait à un masque mortuaire, comme celui qu'Éric avait vu, une fois, dans un film d'horreur.

Il fut surpris de constater qu'il éprouvait presque de la tristesse pour le vieux flic, puis il se rappela de quoi il l'avait traité.

*Ce n'est pas moi,* se dit Éric.

Il partit sans rien dire, pas même au revoir.

## Quatrième partie

Le grand chapeau blanc perché en équilibre instable sur sa tête, elle le maintenait d'une main face au vent qui faisait tanguer légèrement la barque et clapoter l'eau sur les rives. Ravie de la caresse du vent, du balancement de l'embarcation, du clapotis des vagues, elle souriait, gloussait parfois.

– C'est beau, hein ? disait-elle.

Comme une petite fille à la fête.

Éric souriait, il prenait plaisir à la voir ainsi. Il savourait encore sa victoire sur l'inspecteur Proctor et son équipe, et revoyait la déception et l'énervement peints sur le visage du vieux flic, la consternation et le dégoût sur ceux des autres, le ressentiment dans leurs yeux quand ils s'étaient détournés de lui. Le triomphe d'Éric, évidemment, était obscurci – le moment somptueux avec la traîtresse qu'il avait surnommée Señorita définitivement gâché, enfui pour toujours.

La fille avait fini par réapparaître plusieurs heures plus tard, tandis qu'il l'attendait, assis dans la camionnette. Il savait qu'elle finirait par revenir, qu'elle avait dû se planquer quelque part dans les bois jusqu'à ce que la voie soit libre. Bien après que la fête foraine eut fermé ses boutiques, que les groupes de traînards se furent dispersés et que les attractions furent redevenues immobiles, silencieuses, elle s'était faufilée hors des bois sans un bruit, épuisée, ébouriffée, le visage plein de terre, les cheveux gras, collants. «Je suis dégueulasse», avait-elle déclaré en se glissant dans la voiture.

«Merci», avait dit Éric, et le mot avait eu du mal à sortir. Il n'avait jamais dit ça sincèrement à personne. Personne n'avait jamais rien fait pour le mériter. «Tu… C'est bien, ce que tu as fait», un compliment qui le surprit au moment même où il le prononça. Et pourtant, il savait que c'était vrai. Sans l'intervention de la fille, il aurait été pris sur le fait et serait à cette heure-ci détenu quelque part, pas dans une institution pour jeunes cette fois, mais dans une vraie prison.

Ce soir-là, ils n'étaient pas allés dans un motel mais avaient trouvé un endroit désert non loin de la route, près des méandres d'un ruisseau. La fille avait passé la nuit dans le sac de couchage tandis qu'il s'était enroulé dans une couverture à quelques mètres d'elle, car l'air de la nuit se rafraîchissait. Il ne dormit pas vraiment sur le sol dur, tous ses sens en alerte, le corps tendu. Il écouta les sons de la nuit, le vrombissement occasionnel d'une voiture sur la route, les petites cavalcades dans les bois, les bruits d'insectes qu'il ne parvenait pas à identifier.

Un nouveau bruit arriva à ses oreilles et en ouvrant les yeux il vit la fille qui s'approchait en traînant son sac de couchage derrière elle.

– Qu'est-ce qu'il se passe? demanda-t-il.

– J'ai peur, murmura-t-elle. Je croyais que ce serait

marrant de dormir ici, mais en fait ça me file les cho-
cottes.

Elle était belle au clair de lune, avec ses cheveux
argentés et son visage pâle comme le camée que sa mère
portait le dimanche. Mais elle n'était pas brune comme
Maria Valdez et les autres. Elle éveillait une douceur en
lui, le désir de la protéger, même contre les bruits de la
nuit. « Qu'est-ce qui m'arrive, se demanda-t-il, il y a
quelque chose qui ne tourne pas rond chez moi ? »

– Dors près de moi, dit-il.

Elle se glissa dans le sac de couchage et il se pelo-
tonna près d'elle ; après quelque temps, il entendit le
bruit de sa respiration endormie.

L'après-midi suivant, elle avait repéré une pancarte
qui annonçait : *Lac du miroir – Natation, promenades en
barque, aires de pique-nique – Un endroit familial.*

– On y va ? avait-elle dit. Allez, s'il te plaît, s'il te plaît…
Il n'avait pas résisté à ses prières. Il avait besoin de
s'arrêter un moment, de réfléchir à ses projets. Et puis
il lui devait bien quelques minutes de plaisir.

Elle joua sur la plage en bondissant dans l'eau de
temps à autre, le short retroussé incroyablement haut sur
ses cuisses. Au bout d'un moment, une petite fille vint
la rejoindre, l'éclaboussa, s'enfuit, revint de nouveau.
Elle-même avait l'air d'une gosse à courir après la petite
fille en poussant des cris, devant la famille de la petite
qui approuvait d'un sourire. D'autres familles étaient
installées sur des couvertures.

Il regardait la fille d'un air absent, les pensées diri-
gées vers l'avenir. Un avenir pas plus lointain que le lendemain. Il fallait qu'il réfléchisse à sa prochaine étape. Il
savait que l'inspecteur Proctor était plus malin, plus

subtil qu'il ne l'avait cru tout d'abord, et il se demandait si le vieux flic avait d'autres tours dans sa poche, d'autres pièges à lui tendre.

Il allait devoir tout recommencer. Se débarrasser du van. Renvoyer la fille chez elle. Sortir du Massachusetts et partir le plus loin possible. Se laisser pousser la barbe, se raser la tête – faire quelque chose pour qu'on ne le reconnaisse plus.

Debout devant lui, la fille gesticulait en direction du lac où un vieil homme et un enfant passaient en barque.

– Emmène-moi faire un tour de barque, dit-elle.

– Non, il est tard. Et tu ne sais pas nager.

– Ils louent des gilets de sauvetage avec les barques. S'il te plaît, Éric. Pourquoi tu m'as acheté ce chapeau si c'est pas pour m'emmener faire un tour sur l'eau ?

– Je ne t'ai pas acheté une barque, je t'ai acheté un chapeau.

Il se dit que c'était drôle. Surpris soudain d'avoir fait une sorte de jeu de mots.

– Ça serait romantique, dit-elle. Comme dans les films…

Ils louèrent une barque et un gilet de sauvetage pour elle. Il avait appris à ramer en colonie de vacances, quand il avait douze ou treize ans, et n'eut aucun mal à se remémorer les gestes. La fille s'installa à l'autre bout avec son chapeau blanc, la main dans l'eau, comme la fille qu'ils avaient vue deux jours auparavant.

L'après-midi fit place à la soirée pendant qu'ils parcouraient le lac, d'abord près de la rive. Puis ils s'aventurèrent plus loin. L'effort que lui demandait le maniement des rames lui rappelait qu'il n'avait fait aucun exercice depuis qu'il avait quitté l'institution. Il fallait qu'il se remette en forme, retrouve ses habitudes d'entraînement, de jogging. Les muscles de ses bras lui faisaient mal. Il s'arrêta et laissa la barque dériver. La fille contemplait l'eau d'un air rêveur.

J'adore le vent sur mon visage, l'odeur de l'air et de l'eau, j'avais jamais remarqué que l'eau avait une odeur à elle, propre et fraîche, et Éric est beau quand il rame, passe les rames d'un côté à l'autre, je ferme les yeux à moitié et je le fixe et il me regarde avec une expression que je n'arrive pas à définir – je cherche un mot et celui que je trouve est un vieux mot que personne n'utilise plus mais qu'on trouve dans les livres. Attachement. Il me regarde avec attachement. Je sais qu'il n'y a pas d'amour là-dedans. Ni même de désir. Je continue à me poser des questions à propos de l'amour, du sexe, du désir. J'ai vu le désir dans ses yeux quand il regardait cette fille sur le trottoir. Ou quand il parlait de Maria Valdez. Mais je l'aime quand même. Je l'aime parce qu'il est gentil avec moi et qu'il n'en a pas après mon corps, qu'il ne veut pas me toucher ou me caresser comme les autres – le vieux Stuyvesant, le type de la boutique vidéo, Dexter ou même Gary – et peut-être qu'avec le temps il me regardera avec plus que de l'attachement et qu'il m'embrassera doucement, tendrement.

Je me sens tellement libre dans cette barque. J'ai envie de le crier au monde entier. J'ai envie de me débarrasser de ce gilet de sauvetage qui est trop serré pour mes seins et me scie les omoplates, j'ai envie de me lever et de hurler: Regardez-moi, c'est moi Lori Cranston...

Les yeux sur la fille, il se disait qu'il ne lui en fallait

pas beaucoup pour être heureuse – quelques habits neufs, une promenade en barque – quand elle commença à retirer son gilet.

– Qu'est-ce que tu fais? demanda-t-il, soufflé par sa façon de toujours le surprendre.

– C'est trop serré, répondit-elle. J'ai envie de me sentir libre.

Elle fit glisser le gilet et le laissa tomber à ses pieds. «Voilà, c'est mieux comme ça...» Et elle s'étira, abandonnée, le visage tourné vers le ciel, le chapeau blanc toujours en équilibre instable sur sa tête.

Puis elle se leva, ouvrit les bras d'un grand geste, et interpella le vent, le ciel, l'eau:

– Je suis Lori Cranston, la reine de la mer, la fille la plus heureuse du monde...

La barque se mit à tanguer dangereusement sous son poids.

– Assieds-toi, ordonna-t-il. S'il te plaît, assieds-toi.

Elle allait répondre mais perdit l'équilibre, se mit à battre l'air de ses bras et son chapeau fut emporté par le vent comme un énorme oiseau blanc qui aurait oublié de voler. Tandis qu'elle tentait de retrouver le contrôle de la situation, elle fut soulevée comme par des mains invisibles et précipitée dans l'eau. Les yeux pleins d'une peur panique, elle disparut. La barque oscilla, manquant de se retourner.

Sans réfléchir, il sauta dans l'eau. Choqué par le froid soudain, il se força à ouvrir les yeux et la vit qui se débattait frénétiquement. Il tendit la main vers elle, mais elle se mit à couler, comme au ralenti, la bouche ouverte, les yeux écarquillés d'angoisse. Il plongea, l'attrapa, l'empoigna fermement. Elle se débattit puis l'agrippa, ses mains trouvèrent ses épaules, sa gorge. Il sentit qu'elle l'étranglait et lutta pour se dégager, mais il devait conserver sa prise. Elle s'accrocha de toutes ses forces et ils s'enfoncèrent un peu plus. Manquant d'air, il donna un violent coup de pied pour remonter. Soudain, elle perdit toute résistance, cessa de lutter.

Ils atteignirent la surface et il inspira profondément l'air qui pénétrait dans ses bronches. Elle toussa, cracha, les yeux dilatés, toujours cramponnée à lui. Il chercha la barque d'une main, s'aperçut qu'elle s'était retournée, passa un bras par-dessus et retint la fille de l'autre...

Mon Dieu, je me noyais, Éric, si peur, mourir, tu m'as sauvée... Je t'aime... Aime-moi, Éric...

... et elle le regardait, de ses yeux toujours déments mais pleins de reconnaissance. Elle se tortillait dans ses bras, toussait, crachait, une toux énorme, les yeux révulsés. La panique la reprit. Sa tête cogna contre le bord de la barque, et le bruit sourd du choc résonna longtemps dans le silence du lac. Soudain, elle glissa de ses bras et il la vit avec horreur disparaître sous la surface. Il plongea de nouveau, la trouva aussitôt mais elle l'entraînait avec lui, les bras autour de son cou, l'étranglait comme tout à l'heure. Il lutta. Il avait besoin d'air, besoin de remonter à la surface, sinon ils couleraient tous les deux. Il dégagea son bras, se demanda s'il ne l'avait pas cassé. Remonta en flèche à la surface, suffoquant, les poumons en feu, les bras douloureux. Replonger – où est-elle? –, nulle part... remonter encore, de grandes bouffées, la barque s'éloigne... replonger, il faut la retrouver, ne pas abandonner...

Plus tard, dans l'obscurité naissante, allongé à plat ventre sur la barque retournée, ramant péniblement avec les bras, il revint lentement vers la rive, la joue écrasée contre la surface rigide, tandis que le soleil disparaissait. Ramer, se reposer, ramer encore. Il ne voulait pas penser à la fille, la pauvre petite, quelque part là-dessous, froide, perdue, seule. Le lac était redevenu calme, lisse, brillant comme le couvercle d'un cercueil. En approchant de la rive, complètement épuisé, il aperçut un rassemblement sur la plage, des silhouettes groupées que révélaient les gyrophares bleus et rouges des voitures de police.

Il laissa échapper un gémissement, comme une note de malheur, et continua à ramer vers la rive en sachant très bien ce qui l'y attendait.

Debout près de la cuisinière, le vieux flic attendait que l'eau bouille quand le téléphone sonna. Il prit son temps pour aller dans le salon et décrocha le combiné sans espoir.

— Allô, dit-il en s'éclaircissant la voix.

Son rhume avait disparu depuis longtemps et il maudit la vieillesse qui rendait sa voix rauque chaque fois qu'il arrêtait de parler pendant quelques heures.

— Excellente nouvelle, dit Pickett d'une voix enjouée qui contrastait avec les appels matinaux qui avaient suivi leur échec. Ils ont arrêté Éric Poole à Springfield. Pour assassinat.

Le cœur du vieux flic s'agita dans sa poitrine comme un papillon.

— La fille, la fugueuse. Il l'a tuée dans un lac. Une promenade en barque. Il dit qu'elle a paniqué et qu'elle est tombée. Mais quand on a repêché son corps, elle avait un traumatisme crânien. Dû à un choc avec un instrument contondant. Peut-être la rame, qu'on n'a pas encore retrouvée.

L'inspecteur laissa échapper un soupir las ; la bouilloire sifflait, indiquant que l'eau était chaude.

— Vous êtes là, inspecteur ? demanda Pickett d'un ton inquiet. Ça va ?

— Ça va, répondit-il. Mais Éric Poole a dit la vérité, Jimmy. C'était bien un accident. La fille n'était pas son style. Et ce n'était pas sa méthode…

Long silence. La déception de Pickett était perceptible. La bouilloire continuait à siffler.

Le vieux flic repensa à la petite fille en robe de communion et aux autres enfants qui étaient morts, il y a
longtemps, dans l'Oregon, et aux filles qu'Éric Poole
avait tuées ici, en Nouvelle-Angleterre.

— Bon, dit-il. C'est fini.

*Peut-être que je vais pouvoir dormir enfin.*

Mais cette nuit-là, comme d'habitude, il ne parvint
pas à trouver le sommeil, tourna et se retourna dans son
lit, profitant d'un bref répit avant de s'éveiller et de voir
l'aube couleur d'étain qui envahissait la chambre. Il
comprit que ce n'était pas fini, que cela ne finirait
jamais. Comme les douleurs fantômes qui demeurent
une fois la jambe amputée.

Il alluma une cigarette et attendit qu'une nouvelle
journée commence.

Dans la cellule, dans le noir, une fois le tumulte et la clameur de la prison enfin résorbés, ses pensées se faisaient plus vives que jamais et des images surgissaient dans son esprit comme les fragments de couleurs à l'intérieur d'un kaléidoscope.

Parfois, il voyait ses brunes, leurs yeux brillants, les boucles de leurs cheveux noirs, leurs cheveux toujours, et sa tendre intrusion dans des endroits qui lui donnaient tant de tendresse en retour.

Parfois, il n'arrivait pas à évoquer ses brunes mais d'autres images survenaient : le vieux flic sortant des buissons. *Toujours le même monstre, hein, Éric ?* Il remontait la couverture sous son menton, un frisson parcourait ses os malgré la chaleur de la cellule. Qu'est-ce que ce vieux flic connaissait aux monstres ? Il en avait assez de l'inspecteur, ne voulait plus y penser.

Il ne voulait pas non plus penser à sa mère, mais elle surgissait dans son esprit de temps en temps, avec ses longs cheveux noirs qui l'enveloppaient, lui, et la forme bizarre de sa bouche quand il l'avait vue pour la dernière fois.

Il ne bougeait pas, attendait que le sommeil arrive et estompe les images, ne désirant que l'oubli.

Mais avant l'oubli arriva la fille. Qui tournait sur elle-même dans la chambre du motel comme une petite fille qui aurait mis les habits de sa mère. Ce chapeau idiot. Et la pire image de toutes, celle qu'il redoutait mais ne pouvait pas éviter : comment elle s'était agrippée à lui au dernier moment dans les eaux du lac. *Aime-moi, Éric.*

Éric toucha sa joue, s'aperçut qu'elle était mouillée – était-ce donc ça, pleurer ?

Plus tard, au cœur de la nuit, le monstre pleura aussi.

# TABLE

Du même auteur à *l'école des loisirs*

Collection Neuf

*Quand les cloches ne sonnent plus*

Collection Médium